D1705645

»Vielleicht wurde überhaupt noch niemals so schön gedichtet – diese Lyrik ist so kühn und überraschend neu, wie sie gedämpft und abhold jedem Lärme ist«, schrieb Klaus Mann 1927 über die beiden in diesem Band vereinten dichterischen Hauptwerke Rilkes. Sie »sind nicht fremde Gewächse *neben* der Zeit. Was sie ausdrücken, was in ihnen Melodie und Dichtung wird, ist vielmehr an dieser Zeit das Zukünftigste, Neueste, Beste«. Und Rilke selbst (1923): »Wer nicht der Fürchterlichkeit des Lebens irgendwann ... zustimmt, ja ihr zujubelt, der nimmt die unsäglichen Vollmächte unseres Dasein nie in Besitz, der geht am Rande hin, der wird, wenn einmal die Entscheidung fällt, weder ein Lebendiger noch ein Toter gewesen sein. Die *Identität* von Furchtbarkeit und Seligkeit zu erweisen, dieser zwei Gesichter an demselben göttlichen Haupte, ja dieses einen *einzigen* Gesichts..., dies ist der wesentliche Sinn und Begriff meiner beiden Bücher«, der *Duineser Elegien* und der *Sonette an Orpheus*.

Rainer Maria Rilke, geboren am 4. Dezember 1875 in Prag, starb am 29. Dezember 1926 in Val-Mont (Schweiz).

insel taschenbuch 2688

Rainer Maria Rilke

Duineser Elegien

Sonette an Orpheus

Rainer Maria Rilke
Duineser Elegien
Die Sonette an Orpheus

Mit Nachworten von Manfred Engel
und Ulrich Fülleborn

Insel Verlag

Umschlagfoto: David Finn

Einmalige Sonderausgabe
insel taschenbuch 2688
Erste Auflage 2000

Vertrieb durch den Suhrkamp Taschenbuch Verlag
Satz: MZ-Verlagsdruckerei GmbH, Memmingen
Druck: Clausen & Bosse, Leck
Printed in Germany

1 2 3 4 5 6 – 05 04 03 02 01 00

Duineser Elegien

Aus dem Besitz der Fürstin
Marie von Thurn und Taxis-Hohenlohe

(1912/1922)

Die erste Elegie

Wer, wenn ich schriee, hörte mich denn aus der Engel
Ordnungen? und gesetzt selbst, es nähme
einer mich plötzlich ans Herz: ich verginge von seinem
stärkeren Dasein. Denn das Schöne ist nichts
als des Schrecklichen Anfang, den wir noch grade
ertragen,
und wir bewundern es so, weil es gelassen verschmäht,
uns zu zerstören. Ein jeder Engel ist schrecklich.
Und so verhalt ich mich denn und verschlucke den
Lockruf
dunkelen Schluchzens. Ach, wen vermögen
wir denn zu brauchen? Engel nicht, Menschen nicht,
und die findigen Tiere merken es schon,
daß wir nicht sehr verläßlich zu Haus sind
in der gedeuteten Welt. Es bleibt uns vielleicht
irgend ein Baum an dem Abhang, daß wir ihn täglich
wiedersähen; es bleibt uns die Straße von gestern
und das verzogene Treusein einer Gewohnheit,
der es bei uns gefiel, und so blieb sie und ging nicht.
O und die Nacht, die Nacht, wenn der Wind voller
Weltraum
uns am Angesicht zehrt –, wem bliebe sie nicht, die
ersehnte,
sanft enttäuschende, welche dem einzelnen Herzen
mühsam bevorsteht. Ist sie den Liebenden leichter?
Ach, sie verdecken sich nur mit einander ihr Los.
Weißt du's *noch* nicht? Wirf aus den Armen die Leere

zu den Räumen hinzu, die wir atmen; vielleicht daß
die Vögel
die erweiterte Luft fühlen mit innigerm Flug.

Ja, die Frühlinge brauchten dich wohl. Es muteten manche
Sterne dir zu, daß du sie spürtest. Es hob
sich eine Woge heran im Vergangenen, oder
da du vorüberkamst am geöffneten Fenster,
gab eine Geige sich hin. Das alles war Auftrag.
Aber bewältigtest du's? Warst du nicht immer
noch von Erwartung zerstreut, als kündigte alles
eine Geliebte dir an? (Wo willst du sie bergen,
da doch die großen fremden Gedanken bei dir
aus und ein gehn und öfters bleiben bei Nacht.)
Sehnt es dich aber, so singe die Liebenden; lange
noch nicht unsterblich genug ist ihr berühmtes Gefühl.
Jene, du neidest sie fast, Verlassenen, die du
so viel liebender fandst als die Gestillten. Beginn
immer von neuem die nie zu erreichende Preisung;
denk: es erhält sich der Held, selbst der Untergang war ihm
nur ein Vorwand, zu sein: seine letzte Geburt.
Aber die Liebenden nimmt die erschöpfte Natur
in sich zurück, als wären nicht zweimal die Kräfte,
dieses zu leisten. Hast du der Gaspara Stampa
denn genügend gedacht, daß irgend ein Mädchen,
dem der Geliebte entging, am gesteigerten Beispiel
dieser Liebenden fühlt: daß ich würde wie sie?
Sollen nicht endlich uns diese ältesten Schmerzen
fruchtbarer werden? Ist es nicht Zeit, daß wir liebend
uns vom Geliebten befrein und es bebend bestehn:

wie der Pfeil die Sehne besteht, um gesammelt im Absprung
mehr zu sein als er selbst. Denn Bleiben ist nirgends.

Stimmen, Stimmen. Höre, mein Herz, wie sonst nur
Heilige hörten: daß sie der riesige Ruf
aufhob vom Boden; sie aber knieten,
Unmögliche, weiter und achtetens nicht:
So waren sie hörend. Nicht, daß du *Gottes* ertrügest
die Stimme, bei weitem. Aber das Wehende höre,
die ununterbrochene Nachricht, die aus Stille sich bildet.
Es rauscht jetzt von jenen jungen Toten zu dir.
Wo immer du eintratst, redete nicht in Kirchen
zu Rom und Neapel ruhig ihr Schicksal dich an?
Oder es trug eine Inschrift sich erhaben dir auf,
wie neulich die Tafel in Santa Maria Formosa.
Was sie mir wollen? leise soll ich des Unrechts
Anschein abtun, der ihrer Geister
reine Bewegung manchmal ein wenig behindert.

Freilich ist es seltsam, die Erde nicht mehr zu bewohnen,
kaum erlernte Gebräuche nicht mehr zu üben,
Rosen, und andern eigens versprechenden Dingen
nicht die Bedeutung menschlicher Zukunft zu geben;
das, was man war in unendlich ängstlichen Händen,
nicht mehr zu sein, und selbst den eigenen Namen
wegzulassen wie ein zerbrochenes Spielzeug.
Seltsam, die Wünsche nicht weiterzuwünschen. Seltsam,
alles, was sich bezog, so lose im Raume
flattern zu sehen. Und das Totsein ist mühsam

und voller Nachholn, daß man allmählich ein wenig
Ewigkeit spürt. – Aber Lebendige machen
alle den Fehler, daß sie zu stark unterscheiden.
Engel (sagt man) wüßten oft nicht, ob sie unter
Lebenden gehn oder Toten. Die ewige Strömung
reißt durch beide Bereiche alle Alter
immer mit sich und übertönt sie in beiden.

Schließlich brauchen sie uns nicht mehr, die
                                        Früheentrückten,
man entwöhnt sich des Irdischen sanft, wie man den
                                        Brüsten
milde der Mutter entwächst. Aber wir, die so große
Geheimnisse brauchen, denen aus Trauer so oft
seliger Fortschritt entspringt –: *könnten* wir sein
                                        ohne sie?
Ist die Sage umsonst, daß einst in der Klage um Linos
wagende erste Musik dürre Erstarrung durchdrang;
daß erst im erschrockenen Raum, dem ein beinah
                                        göttlicher Jüngling
plötzlich für immer enttrat, das Leere in jene
Schwingung geriet, die uns jetzt hinreißt und tröstet
                                        und hilft.

Die zweite Elegie

Jeder Engel ist schrecklich. Und dennoch, weh mir,
ansing ich euch, fast tödliche Vögel der Seele,
wissend um euch. Wohin sind die Tage Tobiae,
da der Strahlendsten einer stand an der einfachen Haustür,
zur Reise ein wenig verkleidet und schon nicht mehr
furchtbar;
(Jüngling dem Jüngling, wie er neugierig hinaussah).
Träte der Erzengel jetzt, der gefährliche, hinter den Sternen
eines Schrittes nur nieder und herwärts: hochauf-
schlagend erschlüg uns das eigene Herz. Wer seid ihr?

Frühe Geglückte, ihr Verwöhnten der Schöpfung,
Höhenzüge, morgenrötliche Grate
aller Erschaffung, – Pollen der blühenden Gottheit,
Gelenke des Lichtes, Gänge, Treppen, Throne,
Räume aus Wesen, Schilde aus Wonne, Tumulte
stürmisch entzückten Gefühls und plötzlich, einzeln,
Spiegel: die die entströmte eigene Schönheit
wiederschöpfen zurück in das eigene Antlitz.

Denn wir, wo wir fühlen, verflüchtigen; ach wir
atmen uns aus und dahin; von Holzglut zu Holzglut
geben wir schwächern Geruch. Da sagt uns wohl einer:
ja, du gehst mir ins Blut, dieses Zimmer, der Frühling
füllt sich mit dir... Was hilfts, er kann uns nicht halten,
wir schwinden in ihm und um ihn. Und jene, die
schön sind,

o wer hält sie zurück? Unaufhörlich steht Anschein
auf in ihrem Gesicht und geht fort. Wie Tau von
dem Frühgras
hebt sich das Unsre von uns, wie die Hitze von einem
heißen Gericht. O Lächeln, wohin? O Aufschaun:
neue, warme, entgehende Welle des Herzens –;
weh mir: wir *sinds* doch. Schmeckt denn der Weltraum,
in den wir uns lösen, nach uns? Fangen die Engel
wirklich nur Ihriges auf, ihnen Entströmtes,
oder ist manchmal, wie aus Versehen, ein wenig
unseres Wesens dabei? Sind wir in ihre
Züge soviel nur gemischt wie das Vage in die Gesichter
schwangerer Frauen? Sie merken es nicht in dem Wirbel
ihrer Rückkehr zu sich. (Wie sollten sie's merken.)

Liebende könnten, verstünden sie's, in der Nachtluft
wunderlich reden. Denn es scheint, daß uns alles
verheimlicht. Siehe, die Bäume *sind*; die Häuser,
die wir bewohnen, bestehn noch. Wir nur
ziehen allem vorbei wie ein luftiger Austausch.
Und alles ist einig, uns zu verschweigen, halb als
Schande vielleicht und halb als unsägliche Hoffnung.

Liebende, euch, ihr in einander Genügten,
frag ich nach uns. Ihr greift euch. Habt ihr Beweise?
Seht, mir geschiehts, daß meine Hände einander
inne werden oder daß mein gebrauchtes
Gesicht in ihnen sich schont. Das giebt mir ein wenig
Empfindung. Doch wer wagte darum schon zu *sein*?

Ihr aber, die ihr im Entzücken des anderen
zunehmt, bis er euch überwältigt
anfleht: nicht *mehr* –; die ihr unter den Händen
euch reichlicher werdet wie Traubenjahre;
die ihr manchmal vergeht, nur weil der andre
ganz überhand nimmt: euch frag ich nach uns. Ich weiß,
ihr berührt euch so selig, weil die Liebkosung verhält,
weil die Stelle nicht schwindet, die ihr, Zärtliche,
zudeckt; weil ihr darunter das reine
Dauern verspürt. So versprecht ihr euch Ewigkeit fast
von der Umarmung. Und doch, wenn ihr der ersten
Blicke Schrecken besteht und die Sehnsucht am Fenster,
und den ersten gemeinsamen Gang, *ein* Mal durch
den Garten:
Liebende, *seid* ihrs dann noch? Wenn ihr einer dem andern
euch an den Mund hebt und ansetzt –: Getränk
an Getränk:
o wie entgeht dann der Trinkende seltsam der Handlung.

Erstaunte euch nicht auf attischen Stelen die Vorsicht
menschlicher Geste? war nicht Liebe und Abschied
so leicht auf die Schultern gelegt, als wär es aus anderm
Stoffe gemacht als bei uns? Gedenkt euch der Hände,
wie sie drucklos beruhen, obwohl in den Torsen die Kraft
steht.
Diese Beherrschten wußten damit: so weit sind wirs,
dieses ist unser, uns *so* zu berühren; stärker
stemmen die Götter uns an. Doch dies ist Sache der Götter.

Fänden auch wir ein reines, verhaltenes, schmales
Menschliches, einen unseren Streifen Fruchtlands
zwischen Strom und Gestein. Denn das eigene Herz
übersteigt uns
noch immer wie jene. Und wir können ihm nicht mehr
nachschaun in Bilder, die es besänftigen, noch in
göttliche Körper, in denen es größer sich mäßigt.

Die dritte Elegie

Eines ist, die Geliebte zu singen. Ein anderes, wehe,
jenen verborgenen schuldigen Fluß-Gott des Bluts.
Den sie von weitem erkennt, ihren Jüngling, was weiß er
selbst von dem Herren der Lust, der aus dem Einsamen oft,
ehe das Mädchen noch linderte, oft auch als wäre sie nicht,
ach, von welchem Unkenntlichen triefend, das Gotthaupt
aufhob, aufrufend die Nacht zu unendlichem Aufruhr.
O des Blutes Neptun, o sein furchtbarer Dreizack.
O der dunkele Wind seiner Brust aus gewundener Muschel.
Horch, wie die Nacht sich muldet und höhlt. Ihr Sterne,
stammt nicht von euch des Liebenden Lust zu dem Antlitz
seiner Geliebten? Hat er die innige Einsicht
in ihr reines Gesicht nicht aus dem reinen Gestirn?

Du nicht hast ihm, wehe, nicht seine Mutter
hat ihm die Bogen der Braun so zur Erwartung gespannt.
Nicht an dir, ihn fühlendes Mädchen, an dir nicht
bog seine Lippe sich zum fruchtbarern Ausdruck.
Meinst du wirklich, ihn hätte dein leichter Auftritt
also erschüttert, du, die wandelt wie Frühwind?
Zwar du erschrakst ihm das Herz; doch ältere Schrecken
stürzten in ihn bei dem berührenden Anstoß.
Ruf ihn... du rufst ihn nicht ganz aus dunkelem Umgang.
Freilich, er *will*, er entspringt; erleichtert gewöhnt er
sich in dein heimliches Herz und nimmt und beginnt sich.
Aber begann er sich je?
Mutter, *du* machtest ihn klein, du warsts, die ihn anfing;
dir war er neu, du beugtest über die neuen

Augen die freundliche Welt und wehrtest der fremden.
Wo, ach, hin sind die Jahre, da du ihm einfach
mit der schlanken Gestalt wallendes Chaos vertratst?
Vieles verbargst du ihm so; das nächtlich-
verdächtige Zimmer
machtest du harmlos, aus deinem Herzen voll Zuflucht
mischtest du menschlichern Raum seinem Nacht-
Raum hinzu.
Nicht in die Finsternis, nein, in dein näheres Dasein
hast du das Nachtlicht gestellt, und es schien wie aus
Freundschaft.
Nirgends ein Knistern, das du nicht lächelnd erklärtest,
so als wüßtest du längst, *wann* sich die Diele benimmt ...
Und er horchte und linderte sich. So vieles vermochte
zärtlich dein Aufstehn; hinter den Schrank trat
hoch im Mantel sein Schicksal, und in die Falten
des Vorhangs
paßte, die leicht sich verschob, seine unruhige Zukunft.

Und er selbst, wie er lag, der Erleichterte, unter
schläfernden Lidern deiner leichten Gestaltung
Süße lösend in den gekosteten Vorschlaf –:
schien ein Gehüteter ... Aber *innen*: wer wehrte,
hinderte innen in ihm die Fluten der Herkunft?
Ach, da *war* keine Vorsicht im Schlafenden; schlafend,
aber träumend, aber in Fiebern: wie er sich ein-ließ.
Er, der Neue, Scheuende, wie er verstrickt war,
mit des innern Geschehns weiterschlagenden Ranken
schon zu Mustern verschlungen, zu würgendem
Wachstum, zu tierhaft

jagenden Formen. Wie er sich hingab –. Liebte.
Liebte sein Inneres, seines Inneren Wildnis,
diesen Urwald in ihm, auf dessen stummem Gestürztsein
lichtgrün sein Herz stand. Liebte. Verließ es, ging die
eigenen Wurzeln hinaus in gewaltigen Ursprung,
wo seine kleine Geburt schon überlebt war. Liebend
stieg er hinab in das ältere Blut, in die Schluchten,
wo das Furchtbare lag, noch satt von den Vätern.
Und jedes
Schreckliche kannte ihn, blinzelte, war wie verständigt.
Ja, das Entsetzliche lächelte ... Selten
hast du so zärtlich gelächelt, Mutter. Wie sollte
er es nicht lieben, da es ihm lächelte. *Vor* dir
hat ers geliebt, denn, da du ihn trugst schon,
war es im Wasser gelöst, das den Keimenden leicht macht.

Siehe, wir lieben nicht, wie die Blumen, aus einem
einzigen Jahr; uns steigt, wo wir lieben,
unvordenklicher Saft in die Arme. O Mädchen,
dies: daß wir liebten *in* uns, nicht Eines, ein
Künftiges, sondern
das zahllos Brauende; nicht ein einzelnes Kind,
sondern die Väter, die wie Trümmer Gebirgs
uns im Grunde beruhn; sondern das trockene Flußbett
einstiger Mütter –; sondern die ganze
lautlose Landschaft unter dem wolkigen oder
reinen Verhängnis –: *dies* kam dir, Mädchen, zuvor.

Und du selber, was weißt du –, du locktest
Vorzeit empor in dem Liebenden. Welche Gefühle
wühlten herauf aus entwandelten Wesen. Welche
Frauen haßten dich da. Was für finstere Männer
regtest du auf im Geäder des Jünglings? Tote
Kinder wollten zu dir... O leise, leise,
tu ein liebes vor ihm, ein verläßliches Tagwerk, –
führ ihn
nah an den Garten heran, gieb ihm der Nächte
Übergewicht......
Verhalt ihn......

Die vierte Elegie

O Bäume Lebens, o wann winterlich?
Wir sind nicht einig. Sind nicht wie die Zug-
vögel verständigt. Überholt und spät,
so drängen wir uns plötzlich Winden auf
und fallen ein auf teilnahmslosen Teich.
Blühn und verdorrn ist uns zugleich bewußt.
Und irgendwo gehn Löwen noch und wissen,
solang sie herrlich sind, von keiner Ohnmacht.

Uns aber, wo wir Eines meinen, ganz,
ist schon des andern Aufwand fühlbar. Feindschaft
ist uns das Nächste. Treten Liebende
nicht immerfort an Ränder, eins im andern,
die sich versprachen Weite, Jagd und Heimat.
  Da wird für eines Augenblickes Zeichnung
ein Grund von Gegenteil bereitet, mühsam,
daß wir sie sähen; denn man ist sehr deutlich
mit uns. Wir kennen den Kontur
des Fühlens nicht: nur, was ihn formt von außen.
  Wer saß nicht bang vor seines Herzens Vorhang?
Der schlug sich auf: die Szenerie war Abschied.
Leicht zu verstehen. Der bekannte Garten,
und schwankte leise: dann erst kam der Tänzer.
Nicht *der.* Genug! Und wenn er auch so leicht tut,
er ist verkleidet und er wird ein Bürger
und geht durch seine Küche in die Wohnung.
  Ich will nicht diese halbgefüllten Masken,
lieber die Puppe. Die ist voll. Ich will

den Balg aushalten und den Draht und ihr
Gesicht aus Aussehn. Hier. Ich bin davor.
Wenn auch die Lampen ausgehn, wenn mir auch
gesagt wird: Nichts mehr –, wenn auch von der Bühne
das Leere herkommt mit dem grauen Luftzug,
wenn auch von meinen stillen Vorfahrn keiner
mehr mit mir dasitzt, keine Frau, sogar
der Knabe nicht mehr mit dem braunen Schielaug:
Ich bleibe dennoch. Es giebt immer Zuschaun.

Hab ich nicht recht? Du, der um mich so bitter
das Leben schmeckte, meines kostend, Vater,
den ersten trüben Aufguß meines Müssens,
da ich heranwuchs, immer wieder kostend
und, mit dem Nachgeschmack so fremder Zukunft
beschäftigt, prüftest mein beschlagnes Aufschaun, –
der du, mein Vater, seit du tot bist, oft
in meiner Hoffnung, innen in mir, Angst hast,
und Gleichmut, wie ihn Tote haben, Reiche
von Gleichmut, aufgiebst für mein bißchen Schicksal,
hab ich nicht recht? Und ihr, hab ich nicht recht,
die ihr mich liebtet für den kleinen Anfang
Liebe zu euch, von dem ich immer abkam,
weil mir der Raum in eurem Angesicht,
da ich ihn liebte, überging in Weltraum,
in dem ihr nicht mehr wart....: wenn mir zumut ist,
zu warten vor der Puppenbühne, nein,
so völlig hinzuschaun, daß, um mein Schauen
am Ende aufzuwiegen, dort als Spieler
ein Engel hinmuß, der die Bälge hochreißt.

Engel und Puppe: dann ist endlich Schauspiel.
Dann kommt zusammen, was wir immerfort
entzwein, indem wir da sind. Dann entsteht
aus unsern Jahreszeiten erst der Umkreis
des ganzen Wandelns. Über uns hinüber
spielt dann der Engel. Sieh, die Sterbenden,
sollten sie nicht vermuten, wie voll Vorwand
das alles ist, was wir hier leisten. Alles
ist nicht es selbst. O Stunden in der Kindheit,
da hinter den Figuren mehr als nur
Vergangnes war und vor uns nicht die Zukunft.
Wir wuchsen freilich und wir drängten manchmal,
bald groß zu werden, denen halb zulieb,
die andres nicht mehr hatten, als das Großsein.
Und waren doch, in unserem Alleingehn,
mit Dauerndem vergnügt und standen da
im Zwischenraume zwischen Welt und Spielzeug,
an einer Stelle, die seit Anbeginn
gegründet war für einen reinen Vorgang.

Wer zeigt ein Kind, so wie es steht? Wer stellt
es ins Gestirn und giebt das Maß des Abstands
ihm in die Hand? Wer macht den Kindertod
aus grauem Brot, das hart wird, – oder läßt
ihn drin im runden Mund, so wie den Gröps
von einem schönen Apfel? ...... Mörder sind
leicht einzusehen. Aber dies: den Tod,
den ganzen Tod, noch *vor* dem Leben so
sanft zu enthalten und nicht bös zu sein,
ist unbeschreiblich.

Die fünfte Elegie

Frau Hertha Koenig zugeeignet

Wer aber *sind* sie, sag mir, die Fahrenden, diese ein wenig
Flüchtigern noch als wir selbst, die dringend von früh an
wringt ein *wem*, *wem* zu Liebe
niemals zufriedener Wille? Sondern er wringt sie,
biegt sie, schlingt sie und schwingt sie,
wirft sie und fängt sie zurück; wie aus geölter,
glatterer Luft kommen sie nieder
auf dem verzehrten, von ihrem ewigen
Aufsprung dünneren Teppich, diesem verlorenen
Teppich im Weltall.
Aufgelegt wie ein Pflaster, als hätte der Vorstadt-
Himmel der Erde dort wehe getan.
Und kaum dort,
aufrecht, da und gezeigt: des Dastehns
großer Anfangsbuchstab..., schon auch, die stärksten
Männer, rollt sie wieder, zum Scherz, der immer
kommende Griff, wie August der Starke bei Tisch
einen zinnenen Teller.

Ach und um diese
Mitte, die Rose des Zuschauns:
blüht und entblättert. Um diesen
Stampfer, den Stempel, den von dem eignen
blühenden Staub getroffnen, zur Scheinfrucht
wieder der Unlust befruchteten, ihrer

niemals bewußten, – glänzend mit dünnster
Oberfläche leicht scheinlächelnden Unlust.

Da: der welke, faltige Stemmer,
der alte, der nur noch trommelt,
eingegangen in seiner gewaltigen Haut, als hätte sie früher
zwei Männer enthalten, und einer
läge nun schon auf dem Kirchhof, und er überlebte
den andern,
taub und manchmal ein wenig
wirr, in der verwitweten Haut.

Aber der junge, der Mann, als wär er der Sohn eines Nackens
und einer Nonne: prall und strammig erfüllt
mit Muskeln und Einfalt.

Oh ihr,
die ein Leid, das noch klein war,
einst als Spielzeug bekam, in einer seiner
langen Genesungen....

Du, der mit dem Aufschlag,
wie nur Früchte ihn kennen, unreif,
täglich hundertmal abfällt vom Baum der gemeinsam
erbauten Bewegung (der, rascher als Wasser, in wenig
Minuten Lenz, Sommer und Herbst hat) –
abfällt und anprallt ans Grab:

manchmal, in halber Pause, will dir ein liebes
Antlitz entstehn hinüber zu deiner selten
zärtlichen Mutter; doch an deinen Körper verliert sich,
der es flächig verbraucht, das schüchtern
kaum versuchte Gesicht... Und wieder
klatscht der Mann in die Hand zu dem Ansprung, und eh dir
jemals ein Schmerz deutlicher wird in der Nähe des immer
trabenden Herzens, kommt das Brennen der Fußsohln
ihm, seinem Ursprung, zuvor mit ein paar dir
rasch in die Augen gejagten leiblichen Tränen.
Und dennoch, blindlings,
das Lächeln.....

Engel! o nimms, pflücks, das kleinblütige Heilkraut.
Schaff eine Vase, verwahrs! Stells unter jene, uns *noch* nicht
offenen Freuden; in lieblicher Urne
rühms mit blumiger schwungiger Aufschrift:
›*Subrisio Saltat.*‹.

Du dann, Liebliche,
du, von den reizendsten Freuden
stumm Übersprungne. Vielleicht sind
deine Fransen glücklich für dich –,
oder über den jungen
prallen Brüsten die grüne metallene Seide
fühlt sich unendlich verwöhnt und entbehrt nichts.
Du,
immerfort anders auf alle des Gleichgewichts
schwankende Waagen

hingelegte Marktfrucht des Gleichmuts,
öffentlich unter den Schultern.

Wo, o *wo* ist der Ort – ich trag ihn im Herzen –,
wo sie noch lange nicht *konnten*, noch von einander
abfieln, wie sich bespringende, nicht recht
paarige Tiere; –
wo die Gewichte noch schwer sind;
wo noch von ihren vergeblich
wirbelnden Stäben die Teller
torkeln.....

Und plötzlich in diesem mühsamen Nirgends, plötzlich
die unsägliche Stelle, wo sich das reine Zuwenig
unbegreiflich verwandelt –, umspringt
in jenes leere Zuviel.
Wo die vielstellige Rechnung
zahlenlos aufgeht.

Plätze, o Platz in Paris, unendlicher Schauplatz,
wo die Modistin, *Madame Lamort*,
die ruhlosen Wege der Erde, endlose Bänder,
schlingt und windet und neue aus ihnen
Schleifen erfindet, Rüschen, Blumen, Kokarden,
künstliche Früchte –, alle
unwahr gefärbt, – für die billigen
Winterhüte des Schicksals.
....

Engel!: Es wäre ein Platz, den wir nicht wissen, und dorten,
auf unsäglichem Teppich, zeigten die Liebenden, die's hier
bis zum Können nie bringen, ihre kühnen
hohen Figuren des Herzschwungs,
ihre Türme aus Lust, ihre
längst, wo Boden nie war, nur an einander
lehnenden Leitern, bebend, – und *könntens*,
vor den Zuschauern rings, unzähligen lautlosen Toten:
Würfen die dann ihre letzten, immer ersparten,
immer verborgenen, die wir nicht kennen, ewig
gültigen Münzen des Glücks vor das endlich
wahrhaft lächelnde Paar auf gestilltem
Teppich?

Die sechste Elegie

Feigenbaum, seit wie lange schon ists mir bedeutend,
wie du die Blüte beinah ganz überschlägst
und hinein in die zeitig entschlossene Frucht,
ungerühmt, drängst dein reines Geheimnis.
Wie der Fontäne Rohr treibt dein gebognes Gezweig
abwärts den Saft und hinan: und er springt aus dem Schlaf,
fast nicht erwachend, ins Glück seiner süßesten Leistung.
Sieh: wie der Gott in den Schwan.

...... Wir aber verweilen,
ach, uns rühmt es zu blühn, und ins verspätete Innre
unserer endlichen Frucht gehn wir verraten hinein.
Wenigen steigt so stark der Andrang des Handelns,
daß sie schon anstehn und glühn in der Fülle des Herzens,
wenn die Verführung zum Blühn wie gelinderte Nachtluft
ihnen die Jugend des Munds, ihnen die Lider berührt:
Helden vielleicht und den frühe Hinüberbestimmten,
denen der gärtnernde Tod anders die Adern verbiegt.
Diese stürzen dahin: dem eigenen Lächeln
sind sie voran, wie das Rossegespann in den milden
muldigen Bildern von Karnak dem siegenden König.

Wunderlich nah ist der Held doch den jugendlich
Toten. Dauern
ficht ihn nicht an. Sein Aufgang ist Dasein; beständig
nimmt er sich fort und tritt ins veränderte Sternbild
seiner steten Gefahr. Dort fänden ihn wenige. Aber,

das uns finster verschweigt, das plötzlich begeisterte
Schicksal
singt ihn hinein in den Sturm seiner aufrauschenden Welt.
Hör ich doch keinen wie *ihn*. Auf einmal durchgeht mich
mit der strömenden Luft sein verdunkelter Ton.

Dann, wie verbärg ich mich gern vor der Sehnsucht:
O wär ich,
wär ich ein Knabe und dürft es noch werden und säße
in die künftigen Arme gestützt und läse von Simson,
wie seine Mutter erst nichts und dann alles gebar.

War er nicht Held schon in dir, o Mutter, begann nicht
dort schon, in dir, seine herrische Auswahl?
Tausende brauten im Schoß und wollten *er* sein,
aber sieh: er ergriff und ließ aus –, wählte und konnte.
Und wenn er Säulen zerstieß, so wars, da er ausbrach
aus der Welt deines Leibs in die engere Welt, wo er weiter
wählte und konnte. O Mütter der Helden, o Ursprung
reißender Ströme! Ihr Schluchten, in die sich
hoch von dem Herzrand, klagend,
schon die Mädchen gestürzt, künftig die Opfer dem Sohn.

Denn hinstürmte der Held durch Aufenthalte der Liebe,
jeder hob ihn hinaus, jeder ihn meinende Herzschlag,
abgewendet schon, stand er am Ende der Lächeln,
– anders.

Die siebente Elegie

Werbung nicht mehr, nicht Werbung, entwachsene
Stimme,
sei deines Schreies Natur; zwar schrieest du rein wie
der Vogel,
wenn ihn die Jahreszeit aufhebt, die steigende, beinah
vergessend,
daß er ein kümmerndes Tier und nicht nur ein einzelnes
Herz sei,
das sie ins Heitere wirft, in die innigen Himmel.
Wie er, so
würbest du wohl, nicht minder –, daß, noch unsichtbar,
dich die Freundin erführ, die stille, in der eine Antwort
langsam erwacht und über dem Hören sich anwärmt, –
deinem erkühnten Gefühl die erglühte Gefühlin.

O und der Frühling begriffe –, da ist keine Stelle,
die nicht trüge den Ton der Verkündigung. Erst jenen
kleinen
fragenden Auflaut, den, mit steigernder Stille,
weithin umschweigt ein reiner bejahender Tag.
Dann die Stufen hinan, Ruf-Stufen hinan, zum geträumten
Tempel der Zukunft –; dann den Triller, Fontäne,
die zu dem drängenden Strahl schon das Fallen
zuvornimmt
im versprechlichen Spiel.... Und vor sich, den Sommer.

Nicht nur die Morgen alle des Sommers –, nicht nur
wie sie sich wandeln in Tag und strahlen vor Anfang.
Nicht nur die Tage, die zart sind um Blumen, und oben,
um die gestalteten Bäume, stark und gewaltig.
Nicht nur die Andacht dieser entfalteten Kräfte,
nicht nur die Wege, nicht nur die Wiesen im Abend,
nicht nur, nach spätem Gewitter, das atmende Klarsein,
nicht nur der nahende Schlaf und ein Ahnen, abends...
sondern die Nächte! Sondern die hohen, des Sommers,
Nächte, sondern die Sterne, die Sterne der Erde.
O einst tot sein und sie wissen unendlich,
alle die Sterne: denn wie, wie, wie sie vergessen!

Siehe, da rief ich die Liebende. Aber nicht *sie* nur
käme... Es kämen aus schwächlichen Gräbern
Mädchen und ständen... Denn, wie beschränk ich,
wie, den gerufenen Ruf? Die Versunkenen suchen
immer noch Erde. – Ihr Kinder, ein hiesig
einmal ergriffenes Ding gälte für viele.
Glaubt nicht, Schicksal sei mehr, als das Dichte
der Kindheit;
wie überholtet ihr oft den Geliebten, atmend,
atmend nach seligem Lauf, auf nichts zu, ins Freie.

Hiersein ist herrlich. Ihr wußtet es, Mädchen, *ihr* auch,
die ihr scheinbar entbehrtet, versankt –, ihr, in den ärgsten
Gassen der Städte, Schwärende, oder dem Abfall
Offene. Denn eine Stunde war jeder, vielleicht nicht
ganz eine Stunde, ein mit den Maßen der Zeit kaum

Meßliches zwischen zwei Weilen –, da sie ein Dasein
hatte. Alles. Die Adern voll Dasein.
Nur, wir vergessen so leicht, was der lachende Nachbar
uns nicht bestätigt oder beneidet. Sichtbar
wollen wirs heben, wo doch das sichtbarste Glück uns
erst zu erkennen sich giebt, wenn wir es innen verwandeln.

Nirgends, Geliebte, wird Welt sein, als innen. Unser
Leben geht hin mit Verwandlung. Und immer geringer
schwindet das Außen. Wo einmal ein dauerndes Haus war,
schlägt sich erdachtes Gebild vor, quer, zu Erdenklichem
völlig gehörig, als ständ es noch ganz im Gehirne.
Weite Speicher der Kraft schafft sich der Zeitgeist,
gestaltlos
wie der spannende Drang, den er aus allem gewinnt.
Tempel kennt er nicht mehr. Diese, des Herzens,
Verschwendung
sparen wir heimlicher ein. Ja, wo noch eins übersteht,
ein einst gebetetes Ding, ein gedientes, geknietes –,
hält es sich, so wie es ist, schon ins Unsichtbare hin.
Viele gewahrens nicht mehr, doch ohne den Vorteil,
daß sie's nun *innerlich* baun, mit Pfeilern und Statuen,
größer!

Jede dumpfe Umkehr der Welt hat solche Enterbte,
denen das Frühere nicht und noch nicht das Nächste gehört.
Denn auch das Nächste ist weit für die Menschen. *Uns* soll
dies nicht verwirren; es stärke in uns die Bewahrung
der noch erkannten Gestalt. – Dies *stand* einmal unter
Menschen,

mitten im Schicksal stands, im vernichtenden, mitten
im Nichtwissen-Wohin stand es, wie seiend, und bog
Sterne zu sich aus gesicherten Himmeln. Engel,
dir noch zeig ich es, *da!* in deinem Anschaun
steh es gerettet zuletzt, nun endlich aufrecht.
Säulen, Pylone, der Sphinx, das strebende Stemmen,
grau aus vergehender Stadt oder aus fremder, des Doms.

War es nicht Wunder? O staune, Engel, denn *wir* sinds,
wir, o du Großer, erzähls, daß wir solches vermochten,
mein Atem
reicht für die Rühmung nicht aus. So haben wir dennoch
nicht die Räume versäumt, diese gewährenden, diese
unseren Räume. (Was müssen sie fürchterlich groß sein,
da sie Jahrtausende nicht unseres Fühlns überfülln.)
Aber ein Turm war groß, nicht wahr? O Engel, er war es, –
groß, auch noch neben dir? Chartres war groß –, und Musik
reichte noch weiter hinan und überstieg uns. Doch
selbst nur
eine Liebende –, oh, allein am nächtlichen Fenster....
reichte sie dir nicht ans Knie –?
Glaub *nicht*, daß ich werbe.
Engel, und würb ich dich auch! Du kommst nicht.
Denn mein
Anruf ist immer voll Hinweg; wider so starke
Strömung kannst du nicht schreiten. Wie ein gestreckter
Arm ist mein Rufen. Und seine zum Greifen
oben offene Hand bleibt vor dir
offen, wie Abwehr und Warnung,
Unfaßlicher, weitauf.

Die achte Elegie

Rudolf Kassner zugeeignet

Mit allen Augen sieht die Kreatur
das Offene. Nur unsre Augen sind
wie umgekehrt und ganz um sie gestellt
als Fallen, rings um ihren freien Ausgang.
Was draußen *ist*, wir wissens aus des Tiers
Antlitz allein; denn schon das frühe Kind
wenden wir um und zwingens, daß es rückwärts
Gestaltung sehe, nicht das Offne, das
im Tiergesicht so tief ist. Frei von Tod.
Ihn sehen wir allein; das freie Tier
hat seinen Untergang stets hinter sich
und vor sich Gott, und wenn es geht, so gehts
in Ewigkeit, so wie die Brunnen gehen.
Wir haben nie, nicht einen einzigen Tag,
den reinen Raum vor uns, in den die Blumen
unendlich aufgehn. Immer ist es Welt
und niemals Nirgends ohne Nicht: das Reine,
Unüberwachte, das man atmet und
unendlich *weiß* und nicht begehrt. Als Kind
verliert sich eins im Stilln an dies und wird
gerüttelt. Oder jener stirbt und *ists*.
Denn nah am Tod sieht man den Tod nicht mehr
und starrt *hinaus*, vielleicht mit großem Tierblick.
Liebende, wäre nicht der andre, der
die Sicht verstellt, sind nah daran und staunen...
Wie aus Versehn ist ihnen aufgetan
hinter dem andern... Aber über ihn

kommt keiner fort, und wieder wird ihm Welt.
Der Schöpfung immer zugewendet, sehn
wir nur auf ihr die Spiegelung des Frein,
von uns verdunkelt. Oder daß ein Tier,
ein stummes, aufschaut, ruhig durch uns durch.
Dieses heißt Schicksal: gegenüber sein
und nichts als das und immer gegenüber.

Wäre Bewußtheit unsrer Art in dem
sicheren Tier, das uns entgegenzieht
in anderer Richtung –, riß es uns herum
mit seinem Wandel. Doch sein Sein ist ihm
unendlich, ungefaßt und ohne Blick
auf seinen Zustand, rein, so wie sein Ausblick.
Und wo wir Zukunft sehn, dort sieht es Alles
und sich in Allem und geheilt für immer.

Und doch ist in dem wachsam warmen Tier
Gewicht und Sorge einer großen Schwermut.
Denn ihm auch haftet immer an, was uns
oft überwältigt, – die Erinnerung,
als sei schon einmal das, wonach man drängt,
näher gewesen, treuer und sein Anschluß
unendlich zärtlich. Hier ist alles Abstand,
und dort wars Atem. Nach der ersten Heimat
ist ihm die zweite zwitterig und windig.
O Seligkeit der *kleinen* Kreatur,
die immer *bleibt* im Schoße, der sie austrug;
o Glück der Mücke, die noch *innen* hüpft,

selbst wenn sie Hochzeit hat: denn Schoß ist Alles.
Und sieh die halbe Sicherheit des Vogels,
der beinah beides weiß aus seinem Ursprung,
als wär er eine Seele der Etrusker,
aus einem Toten, den ein Raum empfing,
doch mit der ruhenden Figur als Deckel.
Und wie bestürzt ist eins, das fliegen muß
und stammt aus einem Schoß. Wie vor sich selbst
erschreckt, durchzuckts die Luft, wie wenn ein Sprung
durch eine Tasse geht. So reißt die Spur
der Fledermaus durchs Porzellan des Abends.

Und wir: Zuschauer, immer, überall,
dem allen zugewandt und nie hinaus!
Uns überfüllts. Wir ordnens. Es zerfällt.
Wir ordnens wieder und zerfallen selbst.

Wer hat uns also umgedreht, daß wir,
was wir auch tun, in jener Haltung sind
von einem, welcher fortgeht? Wie er auf
dem letzten Hügel, der ihm ganz sein Tal
noch einmal zeigt, sich wendet, anhält, weilt –,
so leben wir und nehmen immer Abschied.

Die neunte Elegie

Warum, wenn es angeht, also die Frist des Daseins
hinzubringen, als Lorbeer, ein wenig dunkler als alles
andere Grün, mit kleinen Wellen an jedem
Blattrand (wie eines Windes Lächeln) –: warum dann
Menschliches müssen – und, Schicksal vermeidend,
sich sehnen nach Schicksal?...

Oh, *nicht*, weil Glück *ist*,
dieser voreilige Vorteil eines nahen Verlusts.
Nicht aus Neugier, oder zur Übung des Herzens,
das auch im Lorbeer *wäre*.....

Aber weil Hiersein viel ist, und weil uns scheinbar
alles das Hiesige braucht, dieses Schwindende, das
seltsam uns angeht. Uns, die Schwindendsten. *Ein* Mal
jedes, nur *ein* Mal. *Ein* Mal und nichtmehr. Und wir auch
ein Mal. Nie wieder. Aber dieses
ein Mal gewesen zu sein, wenn auch nur *ein* Mal:
irdisch gewesen zu sein, scheint nicht widerrufbar.

Und so drängen wir uns und wollen es leisten,
wollens enthalten in unsern einfachen Händen,
im überfüllteren Blick und im sprachlosen Herzen.
Wollen es werden. – Wem es geben? Am liebsten
alles behalten für immer... Ach, in den andern Bezug,

wehe, was nimmt man hinüber? Nicht das Anschaun,
das hier
langsam erlernte, und kein hier Ereignetes. Keins.
Also die Schmerzen. Also vor allem das Schwersein,
also der Liebe lange Erfahrung, – also
lauter Unsägliches. Aber später,
unter den Sternen, was solls: *die* sind *besser* unsäglich.
Bringt doch der Wanderer auch vom Hange des Bergrands
nicht eine Hand voll Erde ins Tal, die Allen unsägliche,
sondern
ein erworbenes Wort, reines, den gelben und blaun
Enzian. Sind wir vielleicht *hier*, um zu sagen: Haus,
Brücke, Brunnen, Tor, Krug, Obstbaum, Fenster, –
höchstens: Säule, Turm.... aber zu *sagen*, verstehs,
oh zu sagen *so*, wie selber die Dinge niemals
innig meinten zu sein. Ist nicht die heimliche List
dieser verschwiegenen Erde, wenn sie die Liebenden drängt,
daß sich in ihrem Gefühl jedes und jedes entzückt?
Schwelle: was ists für zwei
Liebende, daß sie die eigne ältere Schwelle der Tür
ein wenig verbrauchen, auch sie, nach den vielen vorher
und vor den Künftigen...., leicht.

Hier ist des *Säglichen* Zeit, *hier* seine Heimat.
Sprich und bekenn. Mehr als je
fallen die Dinge dahin, die erlebbaren, denn,
was sie verdrängend ersetzt, ist ein Tun ohne Bild.
Tun unter Krusten, die willig zerspringen, sobald
innen das Handeln entwächst und sich anders begrenzt.
Zwischen den Hämmern besteht

unser Herz, wie die Zunge
zwischen den Zähnen, die doch,
dennoch, die preisende bleibt.

Preise dem Engel die Welt, nicht die unsägliche, *ihm*
kannst du nicht großtun mit herrlich Erfühltem; im Weltall,
wo er fühlender fühlt, bist du ein Neuling. Drum zeig
ihm das Einfache, das, von Geschlecht zu Geschlechtern
gestaltet,
als ein Unsriges lebt, neben der Hand und im Blick.
Sag ihm die Dinge. Er wird staunender stehn; wie du standest
bei dem Seiler in Rom, oder beim Töpfer am Nil.
Zeig ihm, wie glücklich ein Ding sein kann, wie schuld-
los und unser,
wie selbst das klagende Leid rein zur Gestalt sich
entschließt,
dient als ein Ding, oder stirbt in ein Ding –, und jenseits
selig der Geige entgeht. – Und diese, von Hingang
lebenden Dinge verstehn, daß du sie rühmst; vergänglich,
traun sie ein Rettendes uns, den Vergänglichsten, zu.
Wollen, wir sollen sie ganz im unsichtbarn Herzen
verwandeln
in – o unendlich – in uns! Wer wir am Ende auch seien.

Erde, ist es nicht dies, was du willst: *unsichtbar*
in uns erstehn? – Ist es dein Traum nicht,
einmal unsichtbar zu sein? – Erde! unsichtbar!
Was, wenn Verwandlung nicht, ist dein drängender
Auftrag?

Erde, du liebe, ich will. Oh glaub, es bedürfte
nicht deiner Frühlinge mehr, mich dir zu gewinnen –,
einer,
ach, ein einziger ist schon dem Blute zu viel.
Namenlos bin ich zu dir entschlossen, von weit her.
Immer warst du im Recht, und dein heiliger Einfall
ist der vertrauliche Tod.

Siehe, ich lebe. Woraus? Weder Kindheit noch Zukunft
werden weniger..... Überzähliges Dasein
entspringt mir im Herzen.

Die zehnte Elegie

Daß ich dereinst, an dem Ausgang der grimmigen Einsicht,
Jubel und Ruhm aufsinge zustimmenden Engeln.
Daß von den klar geschlagenen Hämmern des Herzens
keiner versage an weichen, zweifelnden oder
reißenden Saiten. Daß mich mein strömendes Antlitz
glänzender mache; daß das unscheinbare Weinen
blühe. O wie werdet ihr dann, Nächte, mir lieb sein,
gehärmte. Daß ich euch knieender nicht, untröstliche Schwestern,
hinnahm, nicht in euer gelöstes
Haar mich gelöster ergab. Wir, Vergeuder der Schmerzen.
Wie wir sie absehn voraus, in die traurige Dauer,
ob sie nicht enden vielleicht. Sie aber sind ja
unser winterwähriges Laub, unser dunkeles Sinngrün,
eine der Zeiten des heimlichen Jahres –, nicht nur
Zeit –, sind Stelle, Siedelung, Lager, Boden, Wohnort.

Freilich, wehe, wie fremd sind die Gassen der Leid-Stadt,
wo in der falschen, aus Übertönung gemachten
Stille, stark, aus der Gußform des Leeren der Ausguß
prahlt: der vergoldete Lärm, das platzende Denkmal.
O, wie spurlos zerträte ein Engel ihnen den Trostmarkt,
den die Kirche begrenzt, ihre fertig gekaufte:
reinlich und zu und enttäuscht wie ein Postamt am Sonntag.
Draußen aber kräuseln sich immer die Ränder von Jahrmarkt.

Schaukeln der Freiheit! Taucher und Gaukler des Eifers!
Und des behübschten Glücks figürliche Schießstatt,
wo es zappelt von Ziel und sich blechern benimmt,
wenn ein Geschickterer trifft. Von Beifall zu Zufall
taumelt er weiter; denn Buden jeglicher Neugier
werben, trommeln und plärrn. Für Erwachsene aber
ist noch besonders zu sehn, wie das Geld sich vermehrt,
anatomisch,
nicht zur Belustigung nur: der Geschlechtsteil des Gelds,
alles, das Ganze, der Vorgang –, das unterrichtet und
macht
fruchtbar.........
.... Oh aber gleich darüber hinaus,
hinter der letzten Planke, beklebt mit Plakaten des ›Todlos‹,
jenes bitteren Biers, das den Trinkenden süß scheint,
wenn sie immer dazu frische Zerstreuungen kaun...,
gleich im Rücken der Planke, gleich dahinter, ists
wirklich.
Kinder spielen, und Liebende halten einander, – abseits,
ernst, im ärmlichen Gras, und Hunde haben Natur.
Weiter noch zieht es den Jüngling; vielleicht, daß er
eine junge
Klage liebt..... Hinter ihr her kommt er in Wiesen.
Sie sagt:
– Weit. Wir wohnen dort draußen....
Wo? Und der Jüngling
folgt. Ihn rührt ihre Haltung. Die Schulter, der Hals –,
vielleicht
ist sie von herrlicher Herkunft. Aber er läßt sie, kehrt um,
wendet sich, winkt... Was solls? Sie ist eine Klage.

Nur die jungen Toten, im ersten Zustand
zeitlosen Gleichmuts, dem der Entwöhnung,
folgen ihr liebend. Mädchen
wartet sie ab und befreundet sie. Zeigt ihnen leise,
was sie an sich hat. Perlen des Leids und die feinen
Schleier der Duldung. – Mit Jünglingen geht sie
schweigend.

Aber dort, wo sie wohnen, im Tal, der Älteren eine,
der Klagen,
nimmt sich des Jünglinges an, wenn er fragt: – Wir waren,
sagt sie, ein Großes Geschlecht, einmal, wir Klagen.
Die Väter
trieben den Bergbau dort in dem großen Gebirg; bei
Menschen
findest du manchmal ein Stück geschliffenes Ur-Leid
oder, aus altem Vulkan, schlackig versteinerten Zorn.
Ja, das stammte von dort. Einst waren wir reich. –

Und sie leitet ihn leicht durch die weite Landschaft
der Klagen,
zeigt ihm die Säulen der Tempel oder die Trümmer
jener Burgen, von wo Klage-Fürsten das Land
einstens weise beherrscht. Zeigt ihm die hohen
Tränenbäume und Felder blühender Wehmut,
(Lebendige kennen sie nur als sanftes Blattwerk);
zeigt ihm die Tiere der Trauer, weidend, – und manchmal
schreckt ein Vogel und zieht, flach ihnen fliegend
durchs Aufschaun,

weithin das schriftliche Bild seines vereinsamten Schreis. –
Abends führt sie ihn hin zu den Gräbern der Alten
aus dem Klage-Geschlecht, den Sibyllen und Warn-Herrn.
Naht aber Nacht, so wandeln sie leiser, und bald
mondets empor, das über Alles
wachende Grab-Mal. Brüderlich jenem am Nil,
der erhabene Sphinx –: der verschwiegenen Kammer
Antlitz.
Und sie staunen dem krönlichen Haupt, das für immer,
schweigend, der Menschen Gesicht
auf die Waage der Sterne gelegt.

Nicht erfaßt es sein Blick, im Frühtod
schwindelnd. Aber ihr Schaun,
hinter dem Pschent-Rand hervor, scheucht es die
                                                            Eule. Und sie,
streifend im langsamen Abstrich die Wange entlang,
jene der reifesten Rundung,
zeichnet weich in das neue
Totengehör, über ein doppelt
aufgeschlagenes Blatt, den unbeschreiblichen Umriß.

Und höher, die Sterne. Neue. Die Sterne des Leidlands.
Langsam nennt sie die Klage: – Hier,
siehe: den *Reiter*, den *Stab*, und das vollere Sternbild
nennen sie: *Fruchtkranz*. Dann, weiter, dem Pol zu:
Wiege; *Weg*; *Das Brennende Buch*; *Puppe*; *Fenster*.
Aber im südlichen Himmel, rein wie im Innern

einer gesegneten Hand, das klar erglänzende ›*M*‹,
das die Mütter bedeutet...... –

Doch der Tote muß fort, und schweigend bringt ihn
die ältere
Klage bis an die Talschlucht,
wo es schimmert im Mondschein:
die Quelle der Freude. In Ehrfurcht
nennt sie sie, sagt: – Bei den Menschen
ist sie ein tragender Strom. –

Stehn am Fuß des Gebirgs.
Und da umarmt sie ihn, weinend.

Einsam steigt er dahin, in die Berge des Ur-Leids.
Und nicht einmal sein Schritt klingt aus dem tonlosen Los.

*

Aber erweckten sie uns, die unendlich Toten, ein Gleichnis,
siehe, sie zeigten vielleicht auf die Kätzchen der leeren
Hasel, die hängenden, oder
meinten den Regen, der fällt auf dunkles Erdreich
im Frühjahr. –

Und wir, die an *steigendes* Glück
denken, empfänden die Rührung,
die uns beinah bestürzt,
wenn ein Glückliches *fällt*.

Die Sonette an Orpheus

Geschrieben als ein Grab-Mal
für Wera Ouckama Knoop

Château de Muzot im Februar 1922

Erster Teil

I

Da stieg ein Baum. O reine Übersteigung!
O Orpheus singt! O hoher Baum im Ohr!
Und alles schwieg. Doch selbst in der Verschweigung
ging neuer Anfang, Wink und Wandlung vor.

Tiere aus Stille   drangen aus dem klaren
gelösten Wald   von Lager und Genist;
und da ergab sich, daß sie nicht aus List
und nicht aus Angst in sich so leise waren,

sondern aus Hören. Brüllen, Schrei, Geröhr
schien klein in ihren Herzen. Und wo eben
kaum eine Hütte war, dies zu empfangen,

ein Unterschlupf aus dunkelstem Verlangen
mit einem Zugang, dessen Pfosten beben, –
da schufst du ihnen Tempel im Gehör.

II

Und fast ein Mädchen wars und ging hervor
aus diesem einigen Glück von Sang und Leier
und glänzte klar durch ihre Frühlingsschleier
und machte sich ein Bett in meinem Ohr.

Und schlief in mir. Und alles war ihr Schlaf.
Die Bäume, die ich je bewundert, diese
fühlbare Ferne, die gefühlte Wiese
und jedes Staunen, das mich selbst betraf.

Sie schlief die Welt. Singender Gott, wie hast
du sie vollendet, daß sie nicht begehrte,
erst wach zu sein? Sieh, sie erstand und schlief.

Wo ist ihr Tod? O, wirst du dies Motiv
erfinden noch, eh sich dein Lied verzehrte? –
Wo sinkt sie hin aus mir?... Ein Mädchen fast....

III

Ein Gott vermags. Wie aber, sag mir, soll
ein Mann ihm folgen durch die schmale Leier?
Sein Sinn ist Zwiespalt. An der Kreuzung zweier
Herzwege steht kein Tempel für Apoll.

Gesang, wie du ihn lehrst, ist nicht Begehr,
nicht Werbung um ein endlich noch Erreichtes;
Gesang ist Dasein. Für den Gott ein Leichtes.
Wann aber *sind* wir? Und wann wendet *er*

an unser Sein die Erde und die Sterne?
Dies *ists* nicht, Jüngling, daß du liebst, wenn auch
die Stimme dann den Mund dir aufstößt, – lerne

vergessen, daß du aufsangst. Das verrinnt.
In Wahrheit singen, ist ein andrer Hauch.
Ein Hauch um nichts. Ein Wehn im Gott. Ein Wind.

IV

O ihr Zärtlichen, tretet zuweilen
in den Atem, der euch nicht meint,
laßt ihn an eueren Wangen sich teilen,
hinter euch zittert er, wieder vereint.

O ihr Seligen, o ihr Heilen,
die ihr der Anfang der Herzen scheint.
Bogen der Pfeile und Ziele von Pfeilen,
ewiger glänzt euer Lächeln verweint.

Fürchtet euch nicht zu leiden, die Schwere,
gebt sie zurück an der Erde Gewicht;
schwer sind die Berge, schwer sind die Meere.

Selbst die als Kinder ihr pflanztet, die Bäume,
wurden zu schwer längst; ihr trüget sie nicht.
Aber die Lüfte ... aber die Räume ....

V

Errichtet keinen Denkstein. Laßt die Rose
nur jedes Jahr zu seinen Gunsten blühn.
Denn Orpheus ists. Seine Metamorphose
in dem und dem. Wir sollen uns nicht mühn

um andre Namen. Ein für alle Male
ists Orpheus, wenn es singt. Er kommt und geht.
Ists nicht schon viel, wenn er die Rosenschale
um ein paar Tage manchmal übersteht?

O wie er schwinden muß, daß ihrs begrifft!
Und wenn ihm selbst auch bangte, daß er schwände.
Indem sein Wort das Hiersein übertrifft,

ist er schon dort, wohin ihrs nicht begleitet.
Der Leier Gitter zwängt ihm nicht die Hände.
Und er gehorcht, indem er überschreitet.

VI

Ist er ein Hiesiger? Nein, aus beiden
Reichen erwuchs seine weite Natur.
Kundiger böge die Zweige der Weiden,
wer die Wurzeln der Weiden erfuhr.

Geht ihr zu Bette, so laßt auf dem Tische
Brot nicht und Milch nicht; die Toten ziehts –.
Aber er, der Beschwörende, mische
unter der Milde des Augenlids

ihre Erscheinung in alles Geschaute;
und der Zauber von Erdrauch und Raute
sei ihm so wahr wie der klarste Bezug.

Nichts kann das gültige Bild ihm verschlimmern;
sei es aus Gräbern, sei es aus Zimmern,
rühme er Fingerring, Spange und Krug.

VII

Rühmen, das ists! Ein zum Rühmen Bestellter,
ging er hervor wie das Erz aus des Steins
Schweigen. Sein Herz, o vergängliche Kelter
eines den Menschen unendlichen Weins.

Nie versagt ihm die Stimme am Staube,
wenn ihn das göttliche Beispiel ergreift.
Alles wird Weinberg, alles wird Traube,
in seinem fühlenden Süden gereift.

Nicht in den Grüften der Könige Moder
straft ihm die Rühmung lügen, oder
daß von den Göttern ein Schatten fällt.

Er ist einer der bleibenden Boten,
der noch weit in die Türen der Toten
Schalen mit rühmlichen Früchten hält.

VIII

Nur im Raum der Rühmung darf die Klage
gehn, die Nymphe des geweinten Quells,
wachend über unserm Niederschlage,
daß er klar sei   an demselben Fels,

der die Tore trägt und die Altäre. –
Sieh, um ihre stillen Schultern früht
das Gefühl, daß sie die jüngste wäre
unter den Geschwistern im Gemüt.

Jubel *weiß*, und Sehnsucht ist geständig, –
nur die Klage lernt noch; mädchenhändig
zählt sie nächtelang das alte Schlimme.

Aber plötzlich, schräg und ungeübt,
hält sie doch ein Sternbild unsrer Stimme
in den Himmel, den ihr Hauch nicht trübt.

IX

Nur wer die Leier schon hob
auch unter Schatten,
darf das unendliche Lob
ahnend erstatten.

Nur wer mit Toten vom Mohn
aß, von dem ihren,
wird nicht den leisesten Ton
wieder verlieren.

Mag auch die Spieglung im Teich
oft uns verschwimmen:
Wisse das Bild.

Erst in dem Doppelbereich
werden die Stimmen
ewig und mild.

X

Euch, die ihr nie mein Gefühl verließt,
grüß ich, antikische Sarkophage,
die das fröhliche Wasser römischer Tage
als ein wandelndes Lied durchfließt.

Oder jene so offenen, wie das Aug
eines frohen erwachenden Hirten,
– innen voll Stille und Bienensaug –
denen entzückte Falter entschwirrten;

alle, die man dem Zweifel entreißt,
grüß ich, die wiedergeöffneten Munde,
die schon wußten, was schweigen heißt.

Wissen wirs, Freunde, wissen wirs nicht?
Beides bildet die zögernde Stunde
in dem menschlichen Angesicht.

XI

Sieh den Himmel. Heißt kein Sternbild ›Reiter‹?
Denn dies ist uns seltsam eingeprägt:
dieser Stolz aus Erde. Und ein Zweiter,
der ihn treibt und hält und den er trägt.

Ist nicht so, gejagt und dann gebändigt,
diese sehnige Natur des Seins?
Weg und Wendung. Doch ein Druck verständigt.
Neue Weite. Und die zwei sind eins.

Aber *sind* sie's? Oder meinen beide
nicht den Weg, den sie zusammen tun?
Namenlos schon trennt sie Tisch und Weide.

Auch die sternische Verbindung trügt.
Doch uns freue eine Weile nun
der Figur zu glauben. Das genügt.

XII

Heil dem Geist, der uns verbinden mag;
denn wir leben wahrhaft in Figuren.
Und mit kleinen Schritten gehn die Uhren
neben unserm eigentlichen Tag.

Ohne unsern wahren Platz zu kennen,
handeln wir aus wirklichem Bezug.
Die Antennen fühlen die Antennen,
und die leere Ferne trug...

Reine Spannung. O Musik der Kräfte!
Ist nicht durch die läßlichen Geschäfte
jede Störung von dir abgelenkt?

Selbst wenn sich der Bauer sorgt und handelt,
wo die Saat in Sommer sich verwandelt,
reicht er niemals hin. Die Erde *schenkt.*

XIII

Voller Apfel, Birne und Banane,
Stachelbeere... Alles dieses spricht
Tod und Leben in den Mund... Ich ahne...
Lest es einem Kind vom Angesicht,

wenn es sie erschmeckt. Dies kommt von weit.
Wird euch langsam namenlos im Munde?
Wo sonst Worte waren, fließen Funde,
aus dem Fruchtfleisch überrascht befreit.

Wagt zu sagen, was ihr Apfel nennt.
Diese Süße, die sich erst verdichtet,
um, im Schmecken leise aufgerichtet,

klar zu werden, wach und transparent,
doppeldeutig, sonnig, erdig, hiesig –:
O Erfahrung, Fühlung, Freude –, riesig!

XIV

Wir gehen um mit Blume, Weinblatt, Frucht.
Sie sprechen nicht die Sprache nur des Jahres.
Aus Dunkel steigt ein buntes Offenbares
und hat vielleicht den Glanz der Eifersucht

der Toten an sich, die die Erde stärken.
Was wissen wir von ihrem Teil an dem?
Es ist seit lange ihre Art, den Lehm
mit ihrem freien Marke zu durchmärken.

Nun fragt sich nur: tun sie es gern?...
Drängt diese Frucht, ein Werk von schweren Sklaven,
geballt zu uns empor, zu ihren Herrn?

Sind *sie* die Herrn, die bei den Wurzeln schlafen,
und gönnen uns aus ihren Überflüssen
dies Zwischending aus stummer Kraft und Küssen?

XV

Wartet..., das schmeckt... Schon ists auf der Flucht.
....Wenig Musik nur, ein Stampfen, ein Summen –:
Mädchen, ihr warmen, Mädchen, ihr stummen,
tanzt den Geschmack der erfahrenen Frucht!

Tanzt die Orange. Wer kann sie vergessen,
wie sie, ertrinkend in sich, sich wehrt
wider ihr Süßsein. Ihr habt sie besessen.
Sie hat sich köstlich zu euch bekehrt.

Tanzt die Orange. Die wärmere Landschaft,
werft sie aus euch, daß die reife erstrahle
in Lüften der Heimat! Erglühte, enthüllt

Düfte um Düfte. Schafft die Verwandtschaft
mit der reinen, sich weigernden Schale,
mit dem Saft, der die Glückliche füllt!

XVI

Du, mein Freund, bist einsam, weil....
Wir machen mit Worten und Fingerzeigen
uns allmählich die Welt zu eigen,
vielleicht ihren schwächsten, gefährlichsten Teil.

Wer zeigt mit Fingern auf einen Geruch? –
Doch von den Kräften, die uns bedrohten,
fühlst du viele... Du kennst die Toten,
und du erschrickst vor dem Zauberspruch.

Sieh, nun heißt es zusammen ertragen
Stückwerk und Teile, als sei es das Ganze.
Dir helfen, wird schwer sein. Vor allem: pflanze

mich nicht in dein Herz. Ich wüchse zu schnell.
Doch *meines* Herrn Hand will ich führen und sagen:
Hier. Das ist Esau in seinem Fell.

XVII

Zu unterst der Alte, verworrn,
all der Erbauten
Wurzel, verborgener Born,
den sie nie schauten.

Sturmhelm und Jägerhorn,
Spruch von Ergrauten,
Männer im Bruderzorn,
Frauen wie Lauten...

Drängender Zweig an Zweig,
nirgends ein freier....
Einer! O steig... o steig...

Aber sie brechen noch.
Dieser erst oben doch
biegt sich zur Leier.

XVIII

Hörst du das Neue, Herr,
dröhnen und beben?
Kommen Verkündiger,
die es erheben.

Zwar ist kein Hören heil
in dem Durchtobtsein,
doch der Maschinenteil
will jetzt gelobt sein.

Sieh, die Maschine:
wie sie sich wälzt und rächt
und uns entstellt und schwächt.

Hat sie aus uns auch Kraft,
sie, ohne Leidenschaft,
treibe und diene.

XIX

Wandelt sich rasch auch die Welt
wie Wolkengestalten,
alles Vollendete fällt
heim zum Uralten.

Über dem Wandel und Gang,
weiter und freier,
währt noch dein Vor-Gesang,
Gott mit der Leier.

Nicht sind die Leiden erkannt,
nicht ist die Liebe gelernt,
und was im Tod uns entfernt,

ist nicht entschleiert.
Einzig das Lied überm Land
heiligt und feiert.

XX

Dir aber, Herr, o was weih ich dir, sag,
der das Ohr den Geschöpfen gelehrt? –
Mein Erinnern an einen Frühlingstag,
seinen Abend, in Rußland –, ein Pferd...

Herüber vom Dorf kam der Schimmel allein,
an der vorderen Fessel den Pflock,
um die Nacht auf den Wiesen allein zu sein;
wie schlug seiner Mähne Gelock

an den Hals im Takte des Übermuts,
bei dem grob gehemmten Galopp.
Wie sprangen die Quellen des Rossebluts!

Der fühlte die Weiten, und ob!
Der sang und der hörte –, dein Sagenkreis
war *in* ihm geschlossen.
Sein Bild: ich weih's.

XXI

Frühling ist wiedergekommen. Die Erde
ist wie ein Kind, das Gedichte weiß;
viele, o viele.... Für die Beschwerde
langen Lernens bekommt sie den Preis.

Streng war ihr Lehrer. Wir mochten das Weiße
an dem Barte des alten Manns.
Nun, wie das Grüne, das Blaue heiße,
dürfen wir fragen: sie kanns, sie kanns!

Erde, die frei hat, du glückliche, spiele
nun mit den Kindern. Wir wollen dich fangen,
fröhliche Erde. Dem Frohsten gelingts.

O, was der Lehrer sie lehrte, das Viele,
und was gedruckt steht in Wurzeln und langen
schwierigen Stämmen: sie singts, sie singts!

XXII

Wir sind die Treibenden.
Aber den Schritt der Zeit,
nehmt ihn als Kleinigkeit
im immer Bleibenden.

Alles das Eilende
wird schon vorüber sein;
denn das Verweilende
erst weiht uns ein.

Knaben, o werft den Mut
nicht in die Schnelligkeit,
nicht in den Flugversuch.

Alles ist ausgeruht:
Dunkel und Helligkeit,
Blume und Buch.

XXIII

O erst *dann*, wenn der Flug
nicht mehr um seinetwillen
wird in die Himmelstillen
steigen, sich selber genug,

um in lichten Profilen,
als das Gerät, das gelang,
Liebling der Winde zu spielen,
sicher, schwenkend und schlank, –

erst, wenn ein reines Wohin
wachsender Apparate
Knabenstolz überwiegt,

wird, überstürzt von Gewinn,
jener den Fernen Genahte
sein, was er einsam erfliegt.

XXIV

Sollen wir unsere uralte Freundschaft, die großen
niemals werbenden Götter, weil sie der harte
Stahl, den wir streng erzogen, nicht kennt, verstoßen
oder sie plötzlich suchen auf einer Karte?

Diese gewaltigen Freunde, die uns die Toten
nehmen, rühren nirgends an unsere Räder.
Unsere Gastmähler haben wir weit –, unsere Bäder,
fortgerückt, und ihre uns lang schon zu langsamen Boten

überholen wir immer. Einsamer nun auf einander
ganz angewiesen, ohne einander zu kennen,
führen wir nicht mehr die Pfade als schöne Mäander,

sondern als Grade. Nur noch in Dampfkesseln brennen
die einstigen Feuer und heben die Hämmer, die immer
größern. Wir aber nehmen an Kraft ab, wie Schwimmer.

XXV

Dich aber will ich nun, *Dich*, die ich kannte
wie eine Blume, von der ich den Namen nicht weiß,
noch *ein* Mal erinnern und ihnen zeigen, Entwandte,
schöne Gespielin des unüberwindlichen Schrei's.

Tänzerin erst, die plötzlich, den Körper voll Zögern,
anhielt, als göß man ihr Jungsein in Erz;
trauernd und lauschend –. Da, von den hohen Vermögern
fiel ihr Musik in das veränderte Herz.

Nah war die Krankheit. Schon von den Schatten bemächtigt,
drängte verdunkelt das Blut, doch, wie flüchtig verdächtigt,
trieb es in seinen natürlichen Frühling hervor.

Wieder und wieder, von Dunkel und Sturz unterbrochen,
glänzte es irdisch. Bis es nach schrecklichem Pochen
trat in das trostlos offene Tor.

XXVI

Du aber, Göttlicher, du, bis zuletzt noch Ertöner,
da ihn der Schwarm der verschmähten Mänaden befiel,
hast ihr Geschrei übertönt mit Ordnung, du Schöner,
aus den Zerstörenden stieg dein erbauendes Spiel.

Keine war da, daß sie Haupt dir und Leier zerstör.
Wie sie auch rangen und rasten, und alle die scharfen
Steine, die sie nach deinem Herzen warfen,
wurden zu Sanftem an dir und begabt mit Gehör.

Schließlich zerschlugen sie dich, von der Rache gehetzt,
während dein Klang noch in Löwen und Felsen verweilte
und in den Bäumen und Vögeln. Dort singst du noch jetzt.

O du verlorener Gott! Du unendliche Spur!
Nur weil dich reißend zuletzt die Feindschaft verteilte,
sind wir die Hörenden jetzt und ein Mund der Natur.

Zweiter Teil

I

Atmen, du unsichtbares Gedicht!
Immerfort um das eigne
Sein rein eingetauschter Weltraum. Gegengewicht,
in dem ich mich rhythmisch ereigne.

Einzige Welle, deren
allmähliches Meer ich bin;
sparsamstes du von allen möglichen Meeren, –
Raumgewinn.

Wieviele von diesen Stellen der Räume waren schon
innen in mir. Manche Winde
sind wie mein Sohn.

Erkennst du mich, Luft, du, voll noch einst meiniger Orte?
Du, einmal glatte Rinde,
Rundung und Blatt meiner Worte.

II

So wie dem Meister manchmal das eilig
nähere Blatt den *wirklichen* Strich
abnimmt: so nehmen oft Spiegel das heilig
einzige Lächeln der Mädchen in sich,

wenn sie den Morgen erproben, allein, –
oder im Glanze der dienenden Lichter.
Und in das Atmen der echten Gesichter,
später, fällt nur ein Widerschein.

Was haben Augen einst ins umrußte
lange Verglühn der Kamine geschaut:
Blicke des Lebens, für immer verlorne.

Ach, der Erde, wer kennt die Verluste?
Nur, wer mit dennoch preisendem Laut
sänge das Herz, das ins Ganze geborne.

III

Spiegel: noch nie hat man wissend beschrieben,
was ihr in euerem Wesen seid.
Ihr, wie mit lauter Löchern von Sieben
erfüllten Zwischenräume der Zeit.

Ihr, noch des leeren Saales Verschwender –,
wenn es dämmert, wie Wälder weit...
Und der Lüster geht wie ein Sechzehn-Ender
durch eure Unbetretbarkeit.

Manchmal seid ihr voll Malerei.
Einige scheinen *in* euch gegangen –,
andere schicktet ihr scheu vorbei.

Aber die Schönste wird bleiben –, bis
drüben in ihre enthaltenen Wangen
eindrang der klare gelöste Narziß.

IV

O dieses ist das Tier, das es nicht giebt.
Sie wußtens nicht und habens jeden Falls
– sein Wandeln, seine Haltung, seinen Hals,
bis in des stillen Blickes Licht – geliebt.

Zwar *war* es nicht. Doch weil sie's liebten, ward
ein reines Tier. Sie ließen immer Raum.
Und in dem Raume, klar und ausgespart,
erhob es leicht sein Haupt und brauchte kaum

zu sein. Sie nährten es mit keinem Korn,
nur immer mit der Möglichkeit, es sei.
Und die gab solche Stärke an das Tier,

daß es aus sich ein Stirnhorn trieb. Ein Horn.
Zu einer Jungfrau kam es weiß herbei –
und war im Silber-Spiegel und in ihr.

V

Blumenmuskel, der der Anemone
Wiesenmorgen nach und nach erschließt,
bis in ihren Schoß das polyphone
Licht der lauten Himmel sich ergießt,

in den stillen Blütenstern gespannter
Muskel des unendlichen Empfangs,
manchmal *so* von Fülle übermannter,
daß der Ruhewink des Untergangs

kaum vermag die weitzurückgeschnellten
Blätterränder dir zurückzugeben:
du, Entschluß und Kraft von *wie*viel Welten!

Wir, Gewaltsamen, wir währen länger.
Aber *wann*, in welchem aller Leben,
sind wir endlich offen und Empfänger?

VI

Rose, du thronende, denen im Altertume
warst du ein Kelch mit einfachem Rand.
Uns aber bist du die volle zahllose Blume,
der unerschöpfliche Gegenstand.

In deinem Reichtum scheinst du wie Kleidung um Kleidung
um einen Leib aus nichts als Glanz;
aber dein einzelnes Blatt ist zugleich die Vermeidung
und die Verleugnung jedes Gewands.

Seit Jahrhunderten ruft uns dein Duft
seine süßesten Namen herüber;
plötzlich liegt er wie Ruhm in der Luft.

Dennoch, wir wissen ihn nicht zu nennen,
wir raten...
Und Erinnerung geht zu ihm über,
die wir von rufbaren Stunden erbaten.

VII

Blumen, ihr schließlich den ordnenden Händen verwandte,
(Händen der Mädchen von einst und jetzt),
die auf dem Gartentisch oft von Kante zu Kante
lagen, ermattet und sanft verletzt,

wartend des Wassers, das sie noch einmal erhole
aus dem begonnenen Tod –, und nun
wieder erhobene zwischen die strömenden Pole
fühlender Finger, die wohlzutun

mehr noch vermögen, als ihr ahntet, ihr leichten,
wenn ihr euch wiederfandet im Krug,
langsam erkühlend und Warmes der Mädchen, wie
Beichten,

von euch gebend, wie trübe ermüdende Sünden,
die das Gepflücktsein beging, als Bezug
wieder zu ihnen, die sich euch blühend verbünden.

VIII

Wenige ihr, der einstigen Kindheit Gespielen
in den zerstreuten Gärten der Stadt:

wie wir uns fanden und uns zögernd gefielen
und, wie das Lamm mit dem redenden Blatt,

sprachen als Schweigende. Wenn wir uns einmal freuten,
keinem gehörte es. Wessen wars?
Und wie zergings unter allen den gehenden Leuten
und im Bangen des langen Jahrs.

Wagen umrollten uns fremd, vorübergezogen,
Häuser umstanden uns stark, aber unwahr, – und keines
kannte uns je. *Was* war wirklich im All?

Nichts. Nur die Bälle. Ihre herrlichen Bogen.
Auch nicht die Kinder ... Aber manchmal trat eines,
ach ein vergehendes, unter den fallenden Ball.

(In memoriam Egon von Rilke)

IX

Rühmt euch, ihr Richtenden, nicht der entbehrlichen Folter
und daß das Eisen nicht länger an Hälsen sperrt.
Keins ist gesteigert, kein Herz –, weil ein gewollter
Krampf der Milde euch zarter verzerrt.

Was es durch Zeiten bekam, das schenkt das Schafott
wieder zurück, wie Kinder ihr Spielzeug vom vorig
alten Geburtstag. Ins reine, ins hohe, ins torig
offene Herz träte er anders, der Gott

wirklicher Milde. Er käme gewaltig und griffe
strahlender um sich, wie Göttliche sind.
Mehr als ein Wind für die großen gesicherten Schiffe.

Weniger nicht, als die heimliche leise Gewahrung,
die uns im Innern schweigend gewinnt
wie ein still spielendes Kind aus unendlicher Paarung.

X

Alles Erworbne bedroht die Maschine, solange
sie sich erdreistet, im Geist, statt im Gehorchen, zu sein.
Daß nicht der herrlichen Hand schöneres Zögern mehr prange,
zu dem entschlossenern Bau schneidet sie steifer den Stein.

Nirgends bleibt sie zurück, daß wir ihr *ein* Mal entrönnen
und sie in stiller Fabrik ölend sich selber gehört.
Sie ist das Leben, – sie meint es am besten zu können,
die mit dem gleichen Entschluß ordnet und schafft und zerstört.

Aber noch ist uns das Dasein verzaubert; an hundert
Stellen ist es noch Ursprung. Ein Spielen von reinen
Kräften, die keiner berührt, der nicht kniet und bewundert.

Worte gehen noch zart am Unsäglichen aus...
Und die Musik, immer neu, aus den bebendsten Steinen,
baut im unbrauchbaren Raum ihr vergöttlichtes Haus.

XI

Manche, des Todes, entstand ruhig geordnete Regel,
weiterbezwingender Mensch, seit du im Jagen beharrst;
mehr doch als Falle und Netz, weiß ich dich, Streifen
von Segel,
den man hinuntergehängt in den höhligen Karst.

Leise ließ man dich ein, als wärst du ein Zeichen,
Frieden zu feiern. Doch dann: rang dich am Rande der
Knecht,
– und, aus den Höhlen, die Nacht warf eine Handvoll
von bleichen
taumelnden Tauben ins Licht...
Aber auch *das* ist im Recht.

Fern von dem Schauenden sei jeglicher Hauch des
Bedauerns,
nicht nur vom Jäger allein, der, was sich zeitig erweist,
wachsam und handelnd vollzieht.

Töten ist eine Gestalt unseres wandernden Trauerns...
Rein ist im heiteren Geist,
was an uns selber geschieht.

XII

Wolle die Wandlung. O sei für die Flamme begeistert,
drin sich ein Ding dir entzieht, das mit Verwandlungen
prunkt;
jener entwerfende Geist, welcher das Irdische meistert,

liebt in dem Schwung der Figur nichts wie den
wendenden Punkt.

Was sich ins Bleiben verschließt, schon *ists* das Erstarrte;
wähnt es sich sicher im Schutz des unscheinbaren Grau's?
Warte, ein Härtestes warnt aus der Ferne das Harte.
Wehe –: abwesender Hammer holt aus!

Wer sich als Quelle ergießt, den erkennt die Erkennung;
und sie führt ihn entzückt durch das heiter Geschaffne,
das mit Anfang oft schließt und mit Ende beginnt.

Jeder glückliche Raum ist Kind oder Enkel von Trennung,
den sie staunend durchgehn. Und die verwandelte Daphne
will, seit sie lorbeern fühlt, daß du dich wandelst in Wind.

XIII

Sei allem Abschied voran, als wäre er hinter
dir, wie der Winter, der eben geht.
Denn unter Wintern ist einer so endlos Winter,
daß, überwinternd, dein Herz überhaupt übersteht.

Sei immer tot in Eurydike –, singender steige,
preisender steige zurück in den reinen Bezug.
Hier, unter Schwindenden, sei, im Reiche der Neige,
sei ein klingendes Glas, das sich im Klang schon zerschlug.

Sei – und wisse zugleich des Nicht-Seins Bedingung,
den unendlichen Grund deiner innigen Schwingung,
daß du sie völlig vollziehst dieses einzige Mal.

Zu dem gebrauchten sowohl, wie zum dumpfen und stummen
Vorrat der vollen Natur, den unsäglichen Summen,
zähle dich jubelnd hinzu und vernichte die Zahl.

XIV

Siehe die Blumen, diese dem Irdischen treuen,
denen wir Schicksal vom Rande des Schicksals leihn, –
aber wer weiß es! Wenn sie ihr Welken bereuen,
ist es an uns, ihre Reue zu sein.

Alles will schweben. Da gehn wir umher wie Beschwerer,
legen auf alles uns selbst, vom Gewichte entzückt;
o was sind wir den Dingen für zehrende Lehrer,
weil ihnen ewige Kindheit glückt.

Nähme sie einer ins innige Schlafen und schliefe
tief mit den Dingen –: o wie käme er leicht,
anders zum anderen Tag, aus der gemeinsamen Tiefe.

Oder er bliebe vielleicht; und sie blühten und priesen
ihn, den Bekehrten, der nun den Ihrigen gleicht,
allen den stillen Geschwistern im Winde der Wiesen.

XV

O Brunnen-Mund, du gebender, du Mund,
der unerschöpflich Eines, Reines, spricht, –
du, vor des Wassers fließendem Gesicht,
marmorne Maske. Und im Hintergrund

der Aquädukte Herkunft. Weither an
Gräbern vorbei, vom Hang des Apennins
tragen sie dir dein Sagen zu, das dann
am schwarzen Altern deines Kinns

vorüberfällt in das Gefäß davor.
Dies ist das schlafend hingelegte Ohr,
das Marmorohr, in das du immer sprichst.

Ein Ohr der Erde. Nur mit sich allein
redet sie also. Schiebt ein Krug sich ein,
so scheint es ihr, daß du sie unterbrichst.

XVI

Immer wieder von uns aufgerissen,
ist der Gott die Stelle, welche heilt.
Wir sind Scharfe, denn wir wollen wissen,
aber er ist heiter und verteilt.

Selbst die reine, die geweihte Spende
nimmt er anders nicht in seine Welt,
als indem er sich dem freien Ende
unbewegt entgegenstellt.

Nur der Tote trinkt
aus der hier von uns *gehörten* Quelle,
wenn der Gott ihm schweigend winkt, dem Toten.

Uns wird nur das Lärmen angeboten.
Und das Lamm erbittet seine Schelle
aus dem stilleren Instinkt.

XVII

Wo, in welchen immer selig bewässerten Gärten, an welchen
Bäumen, aus welchen zärtlich entblätterten Blüten-Kelchen
reifen die fremdartigen Früchte der Tröstung? Diese
köstlichen, deren du eine vielleicht in der zertretenen Wiese

deiner Armut findest. Von einem zum anderen Male
wunderst du dich über die Größe der Frucht,
über ihr Heilsein, über die Sanftheit der Schale,
und daß sie der Leichtsinn des Vogels dir nicht vorweg-nahm und nicht die Eifersucht

unten des Wurms. Giebt es denn Bäume, von Engeln beflogen,
und von verborgenen langsamen Gärtnern so seltsam gezogen,
daß sie uns tragen, ohne uns zu gehören?

Haben wir niemals vermocht, wir Schatten und Schemen,
durch unser voreilig reifes und wieder welkes Benehmen
jener gelassenen Sommer Gleichmut zu stören?

XVIII

Tänzerin: o du Verlegung
alles Vergehens in Gang: wie brachtest du's dar.
Und der Wirbel am Schluß, dieser Baum aus Bewegung,
nahm er nicht ganz in Besitz das erschwungene Jahr?

Blühte nicht, daß ihn dein Schwingen von vorhin
umschwärme,
plötzlich sein Wipfel von Stille? Und über ihr,
war sie nicht Sonne, war sie nicht Sommer, die Wärme,
diese unzählige Wärme aus dir?

Aber er trug auch, er trug, dein Baum der Ekstase.
Sind sie nicht seine ruhigen Früchte: der Krug,
reifend gestreift, und die gereiftere Vase?

Und in den Bildern: ist nicht die Zeichnung geblieben,
die deiner Braue dunkler Zug
rasch an die Wandung der eigenen Wendung geschrieben?

XIX

Irgendwo wohnt das Gold in der verwöhnenden Bank
und mit Tausenden tut es vertraulich. Doch jener
Blinde, der Bettler, ist selbst dem kupfernen Zehner
wie ein verlorener Ort, wie das staubige Eck unterm
Schrank.

In den Geschäften entlang ist das Geld wie zuhause
und verkleidet sich scheinbar in Seide, Nelken und Pelz.

Er, der Schweigende, steht in der Atempause
alles des wach oder schlafend atmenden Gelds.

O wie mag sie sich schließen bei Nacht, diese immer
offene Hand.
Morgen holt sie das Schicksal wieder, und täglich
hält es sie hin: hell, elend, unendlich zerstörbar.

Daß doch einer, ein Schauender, endlich ihren langen
Bestand
staunend begriffe und rühmte. Nur dem Aufsingenden
säglich.
Nur dem Göttlichen hörbar.

XX

Zwischen den Sternen, wie weit; und doch, um wievieles
noch weiter,
was man am Hiesigen lernt.
Einer, zum Beispiel, ein Kind... und ein Nächster, ein
Zweiter –,
o wie unfaßlich entfernt.

Schicksal, es mißt uns vielleicht mit des Seienden Spanne,
daß es uns fremd erscheint;
denk, wieviel Spannen allein vom Mädchen zum Manne,
wenn es ihn meidet und meint.

Alles ist weit –, und nirgends schließt sich der Kreis.
Sieh in der Schüssel, auf heiter bereitetem Tische,
seltsam der Fische Gesicht.

Fische sind stumm..., meinte man einmal. Wer weiß?
Aber ist nicht am Ende ein Ort, wo man das, was der Fische
Sprache wäre, *ohne* sie spricht?

XXI

Singe die Gärten, mein Herz, die du nicht kennst;
wie in Glas
eingegossene Gärten, klar, unerreichbar.
Wasser und Rosen von Ispahan oder Schiras,
singe sie selig, preise sie, keinem vergleichbar.

Zeige, mein Herz, daß du sie niemals entbehrst.
Daß sie dich meinen, ihre reifenden Feigen.
Daß du mit ihren, zwischen den blühenden Zweigen
wie zum Gesicht gesteigerten Lüften verkehrst.

Meide den Irrtum, daß es Entbehrungen gebe
für den geschehnen Entschluß, diesen: zu sein!
Seidener Faden, kamst du hinein ins Gewebe.

Welchem der Bilder du auch im Innern geeint bist
(sei es selbst ein Moment aus dem Leben der Pein),
fühl, daß der ganze, der rühmliche Teppich gemeint ist.

XXII

O trotz Schicksal: die herrlichen Überflüsse
unseres Daseins, in Parken übergeschäumt, –
oder als steinerne Männer neben die Schlüsse
hoher Portale, unter Balkone gebäumt!

O die eherne Glocke, die ihre Keule
täglich wider den stumpfen Alltag hebt.
Oder die *eine*, in Karnak, die Säule, die Säule,
die fast ewige Tempel überlebt.

Heute stürzen die Überschüsse, dieselben,
nur noch als Eile vorbei, aus dem waagrechten gelben
Tag in die blendend mit Licht übertriebene Nacht.

Aber das Rasen zergeht und läßt keine Spuren.
Kurven des Flugs durch die Luft und die, die sie fuhren,
keine vielleicht ist umsonst. Doch nur wie gedacht.

XXIII

Rufe mich zu jener deiner Stunden,
die dir unaufhörlich widersteht:
flehend nah wie das Gesicht von Hunden,
aber immer wieder weggedreht,

wenn du meinst, sie endlich zu erfassen.
So Entzognes ist am meisten dein.
Wir sind frei. Wir wurden dort entlassen,
wo wir meinten, erst begrüßt zu sein.

Bang verlangen wir nach einem Halte,
wir zu Jungen manchmal für das Alte
und zu alt für das, was niemals war.

Wir, gerecht nur, wo wir dennoch preisen,
weil wir, ach, der Ast sind und das Eisen
und das Süße reifender Gefahr.

XXIV

O diese Lust, immer neu, aus gelockertem Lehm!
Niemand beinah hat den frühesten Wagern geholfen.
Städte entstanden trotzdem an beseligten Golfen,
Wasser und Öl füllten die Krüge trotzdem.

Götter, wir planen sie erst in erkühnten Entwürfen,
die uns das mürrische Schicksal wieder zerstört.
Aber sie sind die Unsterblichen. Sehet, wir dürfen
jenen erhorchen, der uns am Ende erhört.

Wir, ein Geschlecht durch Jahrtausende: Mütter
und Väter,
immer erfüllter von dem künftigen Kind,
daß es uns einst, übersteigend, erschüttere, später.

Wir, wir unendlich Gewagten, was haben wir Zeit!
Und nur der schweigsame Tod, der weiß, was wir sind
und was er immer gewinnt, wenn er uns leiht.

XXV

Schon, horch, hörst du der ersten Harken
Arbeit; wieder den menschlichen Takt
in der verhaltenen Stille der starken
Vorfrühlingserde. Unabgeschmackt

scheint dir das Kommende. Jenes so oft
dir schon Gekommene scheint dir zu kommen
wieder wie Neues. Immer erhofft,
nahmst du es niemals. Es hat dich genommen.

Selbst die Blätter durchwinterter Eichen
scheinen im Abend ein künftiges Braun.
Manchmal geben sich Lüfte ein Zeichen.

Schwarz sind die Sträucher. Doch Haufen von Dünger
lagern als satteres Schwarz in den Aun.
Jede Stunde, die hingeht, wird jünger.

XXVI

Wie ergreift uns der Vogelschrei...
Irgend ein einmal erschaffenes Schreien.
Aber die Kinder schon, spielend im Freien,
schreien an wirklichen Schreien vorbei.

Schreien den Zufall. In Zwischenräume
dieses, des Weltraums, (in welchen der heile
Vogelschrei eingeht, wie Menschen in Träume –)
treiben sie ihre, des Kreischens, Keile.

Wehe, wo sind wir? Immer noch freier,
wie die losgerissenen Drachen
jagen wir halbhoch, mit Rändern von Lachen,

windig zerfetzten. – Ordne die Schreier,
singender Gott! daß sie rauschend erwachen,
tragend als Strömung das Haupt und die Leier.

XXVII

Giebt es wirklich die Zeit, die zerstörende?
Wann, auf dem ruhenden Berg, zerbricht sie die Burg?
Dieses Herz, das unendlich den Göttern gehörende,
wann vergewaltigts der Demiurg?

Sind wir wirklich so ängstlich Zerbrechliche,
wie das Schicksal uns wahr machen will?
Ist die Kindheit, die tiefe, versprechliche,
in den Wurzeln – später – still?

Ach, das Gespenst des Vergänglichen,
durch den arglos Empfänglichen
geht es, als wär es ein Rauch.

Als die, die wir sind, als die Treibenden,
gelten wir doch bei bleibenden
Kräften als göttlicher Brauch.

XXVIII

O komm und geh. Du, fast noch Kind, ergänze
für einen Augenblick die Tanzfigur
zum reinen Sternbild einer jener Tänze,
darin wir die dumpf ordnende Natur

vergänglich übertreffen. Denn sie regte
sich völlig hörend nur, da Orpheus sang.
Du warst noch die von damals her Bewegte
und leicht befremdet, wenn ein Baum sich lang

besann, mit dir nach dem Gehör zu gehn.
Du wußtest noch die Stelle, wo die Leier
sich tönend hob –; die unerhörte Mitte.

Für sie versuchtest du die schönen Schritte
und hofftest, einmal zu der heilen Feier
des Freundes Gang und Antlitz hinzudrehn.

XXIX

Stiller Freund der vielen Fernen, fühle,
wie dein Atem noch den Raum vermehrt.
Im Gebälk der finstern Glockenstühle
laß dich läuten. Das, was an dir zehrt,

wird ein Starkes über dieser Nahrung.
Geh in der Verwandlung aus und ein.
Was ist deine leidendste Erfahrung?
Ist dir Trinken bitter, werde Wein.

Sei in dieser Nacht aus Übermaß
Zauberkraft am Kreuzweg deiner Sinne,
ihrer seltsamen Begegnung Sinn.

Und wenn dich das Irdische vergaß,
zu der stillen Erde sag: Ich rinne.
Zu dem raschen Wasser sprich: Ich bin.

Nachworte

Die Duineser Elegien

Zur Entstehungsgeschichte

Rilkes Arbeit an den *Duineser Elegien* dauerte von der zweiten Januarhälfte 1912 (die *Erste Elegie* wurde am 21. Januar beendet und wohl kaum wesentlich früher begonnen) bis zum 26. Februar 1922 (Niederschrift von Vers 86b-92 der *Siebenten Elegie* als Neufassung des Schlusses) – also gute zehn Jahre. Als Buch erschienen sie im Juni (Vorzugsausgabe auf Bütten- und Japanpapier) und im Oktober (Normalausgabe) 1923 im Insel-Verlag, Leipzig.

Zwischen dem stürmischen Anfang auf Schloss Duino und der ebenso stürmischen Abschlussphase auf Muzot – in der gleich auch noch die *Sonette an Orpheus* mit entstanden – liegt eine lange Lebens- und Schaffenskrise. Sie hatte vielfältige Gründe: die Aporien von Rilkes privatem Lebenskonzept, in dem zwar eine Partnerin ersehnt, gesucht und immer wieder auch gefunden wird, die großen Gefühle aber dem Beziehungsalltag nie lange standhalten können; geschichtliche Katastrophen wie Krieg und Revolution, die als bloßes ›Menschenwerk‹ nicht mit den Kategorien zu fassen waren, mit denen Rilke sonst die Grenzerfahrungen des ›Lebens‹ zu bewältigen sucht; schließlich die Einberufung des Autors, die trotz ihrer befristeten Dauer und des insgesamt glimpflichen Verlaufs – nach einer kurzen, wohl aber auch besonders demütigenden Grundausbildung (4.-15. 1. 1916) wird Rilke dem Kriegsarchiv in Wien überstellt, die endgültige Demobilisierung erfolgt dann am 9. Juni – ausreichte, das Kindheitstrauma der Militärschulzeit neu zu beleben.

Über all diesen naheliegenden und sicher plausiblen Ursachen darf man jedoch die vielleicht wichtigste nicht übersehen: Wegen der aufs äußerste gesteigerten Ansprüche, die nicht nur Rilke, sondern die meisten Autoren der ›klassischen Moderne‹ an sich und ihre Texte stellen, muss eine langwierige und krisenhafte Werkgenese in dieser Epoche geradezu als Regelfall gelten. Wird doch in ihr nichts Geringeres versucht, als mit rein poetischen Mitteln das Erbe der Metaphysik anzutreten, Kunstwerke zu schaffen, in denen die Totalität aller Erfahrungen sich zu einer Sinnfigur formt. Eben das macht die Hybris, aber sicher auch die Größe der modernen Literatur aus – eine Größe, die unserem, sich weitgehend als post-metaphysisch begreifenden Zeitalter vielleicht nicht mehr ohne weiteres zugänglich ist.

Auch Rilkes Schaffens- und Lebenskrise gründet nicht zuletzt in den hochgesteckten Zielen seines summum opus. Die *Elegien* entstehen nur langsam, stückweise, in immer selteneren Zeiten gesteigerter Produktivität. Je größer die Abstände zwischen diesen Kreativitätsschüben werden, desto mehr sucht Rilke sie gezielt hervorzurufen: durch die Suche nach angenehmen und störungsfreien Schreiborten, durch das Abtragen seiner Briefschulden, das den Kopf frei machen und den Schreibprozess in Gang setzen soll, durch ›Auftaktgedichte‹, die nicht selten auf vertraute Schreibweisen früherer Werkstufen zurückgreifen.

Trotz all dieser Anstrengungen gibt es aber in den zehn langen Jahren der Werkgenese nur sechs eng begrenzte Phasen der Produktivität:

1. *21. Januar-März 1912, Schloss Duino*: Vom 22. Ok-

tober 1911 bis zum 9. Mai 1912 lebt Rilke als Gast von Marie Taxis auf diesem abgelegenen, auf eine weite Adriabucht hinausblickenden Schloss bei Triest, »das wie ein Vorgebirg menschlichen Daseins mit manchen seiner Fenster ‹...› in den offenen Meerraum hinaussieht, unmittelbar ins All möcht man sagen und in seine generösen, über alle hinausgehenden Schauspiele« (An H. Fischer, 25. 10. 1911).

Zunächst entstehen einige kleinere Arbeiten, dann, als typische Auftaktdichtung, das *Marien-Leben* (15.-23. 1. 1912). Am 21. Januar 1912 ist die *Erste Elegie* vollendet; in ihre unmittelbare Nachbarschaft – nur ungefähr, auf die zweite Januarhälfte datierbar – fällt auch das beglückende *Erlebnis* im Schlosspark von Duino, das Rilke ein Jahr später niederschreiben wird. Weiter entstehen: die *Zweite Elegie* (Ende Januar/Anfang Februar), Vers 1-6a und 77-79 der *Neunten Elegie* (März 1912, in zwei wohl noch nicht als zusammengehörig aufgefassten Fragmenten) und Vers 1-15 der *Zehnten Elegie* (Anfang 1912); außerdem nicht genauer bekannte und datierbare Ansätze zur *Dritten* (Anfang 1912) und *Sechsten Elegie* (Februar/März) und drei Fragmente, die nicht in den Zyklus eingingen (*Soll ich die Städte rühmen*; *Blicke hielten mich*; *Soll ich noch einmal*).

2. *Januar/Februar 1913, Ronda*: So produktiv der Spanien-Aufenthalt (1. 11. 1912-24. 2. 1913) für Rilke insgesamt war, so bescheiden blieb sein Beitrag zu den *Elegien*: Im unmittelbaren Umfeld der ersten *Gedichte an die Nacht* und der Niederschrift von *Erlebnis* entstehen nur Vers 1-31 der *Sechsten Elegie* (in Weiterführung eines Duineser Ansatzes).

3. *Spätherbst bis Jahresende 1913, Paris*: Wohl unmittelbar angeregt durch den Besuch eines psychoanalyti-

schen Kongresses (7./8. 9. 1913), schreibt Rilke im Spätherbst die *Dritte Elegie* (in Fortführung eines Duineser
Ansatzes), Vers 42-44 der *Sechsten Elegie* und erweitert
die *Zehnte Elegie*, die gegen Jahresende zu einer ersten
(fragmentarischen und später verworfenen) Fassung wei-
tergeführt wird.

4. *22./23. 11. 1915, München*: Nach den *Sieben Gedichten* (1. 10.-9. 11.), *Der Tod* (9. 11.), *Requiem auf den Tod
eines Knaben* (13. 11. 1915) und *Siehe: (Denn kein Baum
soll dich zerstreun)* (19./20. 11.) schreibt Rilke die *Vierte
Elegie*. Dann wird die Arbeitsphase durch Musterung und
Einberufung abrupt beendet.

5. *12. 11. 1920-10. 5. 1921, Schloss Berg*: Der Arbeits-
winter bleibt für die *Elegien* unergiebig; es entsteht nur das
schließlich verworfene Fragment *Laß dir, daß Kindheit war*
(Dezember 1920).

6. *7. 2.-26. 2. 1922, Muzot*: Seit dem 26. Juli 1921 bewohnt Rilke, nur von einer Haushälterin umsorgt, das ab-
gelegene Château de Muzot, bei Sierre im Wallis. In einem
Brief vom 17. August 1921 an Nora Purtscher-Wydenbruck
beschreibt er sein neues Domizil:

»Das beiliegende Postkartenbild zeigt Muzot nicht auf
gerechte Art; so viel ich dem widerspenstigen Hause vorzu-
werfen habe, ich muß doch versichern, daß es unbeschreiblich reizvoller sei. Der kleine Garten besser seither, und
gebärdiger aufgewachsen ‹...›; und die Pappel, die herrli-
che, die rechts vorne das Maß der Landschaft gäbe, ist nicht
mit im Bilde. Gar nicht zu reden von Atmosphäre und
Farbe: vorn das lichte lockige Grün des Weinbergs und der
schöne heitere verger ‹Obstgarten›, und zwischen allem die
Abstufungen der fühlendsten Perspektive. Und dann für

Gehör: Stille ‹…› gar nicht zu reden vom Hauslied des steten Brunnens vor meinem Burgturm.«

In Muzot entstehen, wiederum nach intensivem Briefeschreiben, das Auftaktgedicht *Solang du Selbstgeworfnes fängst* (31. 1.) und die meisten Gedichte aus dem ersten Teil der *Sonette an Orpheus* (2.-5. 2.), dann, in rascher Folge: die *Siebente* (7. 2.) und *Achte Elegie* (7./8. 2.), das Nachwort für einen geplanten zweiten Teil zu den *Elegien* mit dem Titel *Fragmentarisches* (8. 2.; er sollte Gedichte und Bruchstücke aus der Entstehungszeit enthalten), dann die *Neunte Elegie* (9. 2.; die aus Duino stammenden Bruchstücke integrierend), der Hauptteil der später durch die *Fünfte Elegie* ersetzten *Gegen-Strophen* (9. 2.), I,21 der *Sonette an Orpheus* und Vers 32-41 der *Sechsten Elegie* (9. 2.), die *Zehnte Elegie* (11. 2.; neu ab V. 13) und I,23 der *Sonette* (13. 2.). Zwischen dem 12. und dem 15. Februar schreibt Rilke den *Brief des jungen Arbeiters*, am 14. Februar die *Fünfte Elegie* und zwischen dem 15. und dem 23. Februar den gesamten zweiten Teil der *Sonette*. Am 26. Februar endet die Arbeitsphase mit dem neuen Schluss der *Siebenten Elegie* (Vers 86b-92).

Mythopoesie der ›condition humaine‹ in Bildern und Gegenbildern

In Rilkes Roman *Die Aufzeichnungen des Malte Laurids Brigge* gibt es eine berühmte Aufzeichnung, die die Forschung gewöhnlich ›Die großen Fragen‹ nennt. Mit einer an Nietzsche geschulten Rigorosität erklärt Malte hier alle bisherigen Antworten auf zentrale Sinnfragen des Menschen für unzureichend und meldet dringenden Handlungsbedarf an: »dann muß ‹...›, um alles in der Welt, etwas geschehen. Der Nächstbeste, der, welcher diesen beunruhigenden Gedanken gehabt hat, muß anfangen, etwas von dem Versäumten zu tun.« Malte, der ja mit Rilke nicht einfach identisch ist, mag sich die Lösung dieser Aufgabe zu einfach vorgestellt haben; dass sie jedoch auch seinen Autor nachhaltig bewegt, zeigt das folgende Briefzitat vom 8. November 1915:

»Was in Malte Laurids Brigge ‹...› ausgesprochen eingelitten steht, das ist ja eigentlich nur *dies*, mit allen Mitteln und immer wieder von vorn und an allen Beweisen dies: *Dies*, wie ist es möglich zu leben, wenn doch die Elemente dieses Lebens uns völlig unfaßlich sind? Wenn wir immerfort im Lieben unzulänglich, im Entschließen unsicher und dem Tode gegenüber unfähig sind, wie ist es möglich dazusein?« (An Lotte Hepner)

Damit ist sehr präzise die Aufgabe formuliert, die die *Duineser Elegien* mit rein dichterischen Mitteln lösen sollen. Nötig ist also zweierlei: eine umfassende Darstellung der condition humaine und eine Antwort auf ihre Existenzprobleme, die die begriffliche – wissenschaftliche und philosophische – ›Unfaßlichkeit‹ des Lebens zwar nicht aufheben kann, aber doch eine Haltung des Weltvertrauens und der Lebensbejahung begründet.

In einem seiner vielen Deutungsbriefe zu den *Elegien* hat Rilke seine Absichten so zusammengefasst:

»Mehr als einmal schon hab ich Ihnen angedeutet, wie ich mehr und mehr in meinem Leben und in meiner Arbeit nur noch von dem Bestreben geführt bin, überall unsere alten Verdrängungen zu korrigieren, die uns die Geheimnisse entrückt und nach und nach entfremdet haben, aus denen wir unendlich aus dem Vollen leben könnten. Die Furchtbarkeit hat die Menschen erschreckt und entsetzt: aber wo ist ein Süßes und Herrliches, das nicht zu Zeiten *diese* Maske trüge, die des Furchtbaren? Das Leben selbst – und wir kennen nichts außer ihm – ist es nicht furchtbar? Aber sowie wir seine Furchtbarkeit zugeben (nicht als Widersacher, denn wie vermöchten wir ihr gewachsen zu sein?), sondern irgendwie in einem Vertrauen, daß eben diese Furchtbarkeit ein ganz *Unsriges* sei, nur ein, vor der Hand, für unsere lernenden Herzen noch zu Großes, zu Weites, zu Unumfaßliches ... so wie wir, meine ich, seine schrecklichste Furchtbarkeit bejahen, auf die Gefahr hin, an ihr (d.h. an unserem Zuviel!) zu Grunde zu gehen – erschließt sich uns eine Ahnung des Seligsten, das um diesen Preis unser ist. Wer nicht der Fürchterlichkeit des Lebens irgendwann, mit einem endgültigen Entschlusse, zustimmt, ja ihr zujubelt, der nimmt die unsäglichen Vollmächte unseres Daseins nie in Besitz, der geht am Rande hin, der wird, wenn einmal die Entscheidung fällt, weder ein Lebendiger noch ein Toter gewesen sein. Die *Identität* von Furchtbarkeit und Seligkeit zu erweisen, dieser zwei Gesichter an demselben göttlichen Haupte, ja dieses einen *einzigen* Gesichts, das sich nur so oder so darstellt, je nach der Entfernung aus der, oder der Verfassung, in der wir es wahrnehmen ...: dies ist der wesentliche Sinn und Begriff meiner beiden Bücher ‹der *Elegien* und der *Sonette*›« (An Gräfin Sizzo, 12. 4. 1923).

In seiner poetischen Analyse der condition humaine bedient sich Rilke eines Verfahrens, das in anthropologischen

Betrachtungen eine lange Tradition hat: Was der Mensch ist, lässt sich am besten mittelbar, durch Bestimmungen des Nicht-Menschlichen sagen. In einer im christlichen Abendland wohletablierten Topik sind die dafür geeignetsten Gegenbilder die, in denen die Pole der kreatürlich-geistigen Doppelnatur des Menschen jeweils zur Eindeutigkeit vereinseitigt sind: ›Tier‹ und ›Engel‹.

Diese sind frei von den Aporien des menschlichen Bewusstseins: der Spaltung aller Welterfahrung in Subjekt und Objekt und der reflexiven Brechung allen Erlebens; dem leidvollen und alle Lebensbezüge verunsichernden Wissen um die Vergänglichkeit unserer Gefühle, Gedanken und Gestaltungen und, letztlich, um den unabwendbar bevorstehenden Tod; der Bedrohung durch von Denken und Wollen nie ganz erfassbare Bereiche im Ich wie in der Natur. Denn Tier und Engel leben – in einer dem Menschen allenfalls für Augenblicke erreichbaren Weise – im ›Offenen‹ und ›Freien‹ und ›sind‹ damit ›wirklich‹ (im emphatischen Wortsinn, der in den *Elegien* meist durch Kursivierung markiert ist): das Tier, weil es über kein Bewusstsein verfügt und so ungebrochen im ›Sichtbaren‹, im physischen Hier und Jetzt, der Engel, weil er über ein unendliches Bewusstsein verfügt und so ungebrochen im ›Unsichtbaren‹ existiert. Zu Recht hat Rilke davor gewarnt, den Engel der *Elegien* mit dem der christlichen Tradition zu identifizieren; die ›Transzendenz‹, die dieser »hinter den Sternen« (*Zweite Elegie*, Vers 7) bewohnt, hat mit traditionellen Transzendenzvorstellungen der Metaphysik wenig gemein: Weder ist sie zeitlos (wenn auch in ihr nichts vergeht), noch kategorisch von der Immanenz geschieden. Zu denken wäre sie wohl als deren andere, unsichtbare Seite, als ›Weltinnenraum‹, als die Innenseite der Erfahrungswelt, die Gesamtheit aller seelischen Akte in ihrer immateriellen Existenz. Dass eine solche Innenseite der Wirklichkeit existiert, war in der Entstehungszeit der *Elegien* leichter zu denken als heute; den Glauben daran setzt der Zyklus aber ebenso wenig voraus wie den an die Wirklichkeit des Engels – im *Brief des jungen Arbeiters* schreibt Rilke jedenfalls lapidar vom »Engel, den es nicht giebt«. Selbst aber wenn es den Engel und seinen transzendenten‹ Lebensraum geben sollte, bliebe dieser uns doch auf immer unzugänglich, obwohl wir durch unser Denken und Fühlen zu ihm beitragen; auch eine transzendente Heimat, in der unsere personale Existenz gewahrt bliebe, finden wir dort nicht. In der Mythopoesie der *Elegien* fungiert der Engel so primär als Gegenbild zur menschlichen Existenz, das uns auf die Bedeutung und Würde der ›unsichtbaren‹ Seite unseres Lebens verweisen soll.

Die condition humaine wird in den *Elegien* aber nicht nur durch Gegenbilder, sondern auch durch Grenzbilder menschlichen Seins bestimmt; dafür stehen besonders die zu mythischer Prägnanz verdichteten Figuren des ›Kindes‹, des ›Helden‹, der ›Jungverstorbenen‹ und der ›großen Liebenden‹.

Das *Kind*, das zwischen sich und den Dingen und zwischen der inneren, unbegrenzten Welt seiner Phantasie und der äußeren Realität noch nicht kategorisch unterscheidet, ist der ›offenen‹ Existenzweise ebenso nahe wie der ungebrochen wollende und handelnde *Held* und die *Jungverstorbenen*, die Rilke faszinieren, weil sie aus einem kindheitsnahen Zustand, also noch nicht eingewöhnt in die ›gedeutete Welt‹, unmittelbar in den Tod gehen.

Dem ›Offenen‹ sind auch die *großen Liebenden* nahe, die Rilke seit seinem Frühwerk beschäftigen, deren Schicksal er an berühmten Beispielen wie Bettina von Arnim (1788-1859), Mariana Alcoforado (1640-1723), Louize Labé (um 1525-1566) und Gaspara Stampa (1523-1554) studiert und immer wieder in seinem Werk gestaltet und gerühmt hat. Ihre Liebe ›besitzlos‹ zu nennen, ist missverständlich, da Rilke weder eine platonische Beziehung ohne Sexualität meint noch eine, die primär um die Freiheit des anderen besorgt wäre. Besser wäre es, von einer ›intransitiven Liebe‹ zu sprechen. Denn diese Liebenden haben sich vom Geliebten gelöst oder ihn verloren, sich aber die emotionale Intensität, das gesteigerte Fühlen der Liebe bewahrt; dieses nicht mehr auf ein bestimmtes Objekt gerichtete Gefühl tritt nur in Bezug zum Ganzen der Wirklichkeit und entgeht so den Aporien der ›transitiven‹ Liebe.

Was sind nun die Möglichkeiten, die dem Menschen bleiben – diesseits der ihm unerreichbaren Existenzweisen des Tieres oder Engels und abgesehen von den nur auf Zeit oder nur für wenige möglichen Existenzweisen des Kindes, des Helden, der Jungverstorbenen und der Liebenden? Die gängige, in der Gegenwart vorherrschende Lösung – der auf Ausgrenzung und Verdrängung beruhende Rückzug in die ›gedeutete Welt‹ – ist offensichtlich nur eine Scheinlösung, die mehr Probleme schafft als bewältigt. Diese durch Denkkategorien und Konventionen geschaffene – wie es im *Malte* heißt – »vereinbarte, im ganzen harmlose Welt«, »das überaus gemeinsame Leben, wo jeder im Gefühl unterstützt sein wollte, bei Bekanntem zu sein, und wo man sich so vorsichtig im Verständlichen vertrug«, gewähr-

keine wirkliche Sicherheit, da ihre »verabredeten Grenzen« (ebd.) immer wieder durchbrochen werden – etwa in Liebe, Leid und Tod. Schlimmer noch: Ihre krampfhafte Abwehrhaltung macht dem Menschen viele Erfahrungen fremd und verdächtig, die sein ›Eigenstes‹ sind, untrennbar zu seinem Mensch-Sein gehören.

Eine Bewußtseinsgeschichte in nuce dieses Verdrängungsprozesses und eine präzise Analyse der durch ihn verursachten Beschädigungen hat Rilke in dem für das Verständnis seines Denkens und Dichtens zentralen Brief an Lotte Hepner vom 8. November 1915 geschrieben:

»Verständigen wir uns darüber, daß der Mensch seit seinen frühesten Anfängen Götter gebildet hat, in denen da und dort nur das Tote und Drohende und Vernichtende und Schreckliche, die Gewalt, der Zorn, die überpersönliche Benommenheit, enthalten waren, verknotet gleichsam zu einem dichten bösartigen Zusammengezogensein: das Fremde, wenn Sie wollen, aber in diesem Fremden schon gewissermaßen zugegeben, daß man es gewahrte, ertrug, ja anerkannte um einer gewissen, geheimnisvollen Verwandtschaft und Einbeziehung willen: *man war auch dies*, *nur*, daß man vor der Hand mit dieser Seite des eigenen Erlebens nichts anzufangen wußte; sie waren zu groß, zu gefährlich, zu vielseitig ‹...›; es war unmöglich, neben den vielen Zumutungen des auf Gebrauch und Leistung eingerichteten Daseins, diese unhandlichen und unfaßlichen Umstände immer mitzunehmen; und so kam man überein, sie ab und zu hinauszustellen. ‹...› Könnte man die Geschichte Gottes nicht behandeln als einen gleichsam nie angetretenen Teil des menschlichen Gemütes, einen immer aufgeschobenen, aufgesparten, schließlich versäumten ‹...›. Sehen Sie, und so ging es nicht anders mit dem Tod. Erlebt, und doch, in seiner Wirklichkeit, uns nicht erlebbar, uns immerfort überwissend und doch von uns nie recht zugegeben, den Sinn des Lebens kränkend und überholend von Anfang an, wurde auch er, damit er uns im Finden dieses Sinnes nicht beständig unterbräche, ausgewiesen, hinausverdrängt ‹...›. Gott und Tod waren nun draußen, waren das Andere, und das Eine war unser Leben, das nun um ‹den› Preis dieser Ausscheidung menschlich zu werden schien, vertraulich, möglich, leistbar, in einem geschlossenen Sinn das Unsrige. ‹...› indem ‹...› aus jeder in Gebrauch genommenen Bedeutung Gott und Tod abgezogen schienen ‹...›, beschleunigte sich der kleinere Kreislauf des nur Hiesigen immer mehr, der sogenannte Fortschritt wurde zum Ereignis einer in sich befangenen Welt, die vergaß, daß sie ‹...› durch den Tod und durch Gott von vorneherein und endgültig übertroffen war. Nun hätte das noch eine Art Besinnung ergeben, wäre man imstande gewesen, Gott und Tod als bloße Ideen sich im Geistigen fernzuhalten –: aber die Natur wußte nichts von dieser uns irgendwie gelungenen Verdrängung – blüht ein Baum, so blüht so gut der Tod in ihm wie das Leben ‹...› – und überall um uns ist der Tod noch zu Haus ‹...›. Und auch die Liebe ‹...› nimmt nicht Rücksicht auf unsere Einteilungen, sondern reißt uns, zitternd wie wir sind, in ein endloses Bewußtsein des Ganzen hinein.«

Wenn aber Verdrängung zugleich schädlich und ineffektiv ist und wenn andererseits eine vorbehaltlose Öffnung auf das ›Fremde‹, ›Große‹ und ›Andere‹ uns zu zerstören droht, so gilt es, die übermächtigen Grenzerfahrungen durch apollinische Gestaltung kommensurabel zu machen. Früheren Zeiten fiel dies leichter: in den Menschlichem angenäherten

Bildern des Mythos, in sichtbaren und dauernden Kunst- und Bauwerken, in den einfachen Produkten des Handwerks und in einer unmittelbar aus den Bedürfnissen des Lebens hervorgegangenen Lebenswelt fanden auch die übermächtigsten Erfahrungen und Sehnsüchte ihren adäquaten Ausdruck und, zugleich, ihr menschliches Maß.

Heute muss diese Aufgabe anders erfüllt werden, da sich die Lebenswelt radikal verändert hat. Rilke knüpft hier an einen alten kulturkritischen Topos der Jahrhundertwende an, der seit dem Frühwerk zu den festen Orientierungspunkten seiner Weltanschauung und seiner Poetik gehört: Von der Antike über das Mittelalter bis in die Moderne hinein lässt sich ein zunehmendes Schwinden ›sichtbarer Äquivalente‹ beobachten. Die zivilisatorische Lebenswelt ist abstrakt: Menschliche Bedürfnisse und Sehnsüchte, gesellschaftliche Strukturen, die Welterklärungsmodelle von Philosophie und Wissenschaft, alltägliche Gebrauchsgegenstände – nichts davon ist mehr sinnlich-anschaulich erfahrbar in einem Jahrhundert, »wo immer mehr alles Innere Inneres bleibt und sich dort zuende spielt ohne eigentliches Bedürfnis, bald fast ohne Aussicht, für seine Grade und Zustände draußen Äquivalente zu finden (daher die Gezwungenheit, Unaufrichtigkeit und Verlegenheit des jetzigen Dramas). Die Welt zieht sich ein; denn auch ihrerseits die Dinge thun dasselbe, indem sie ihre Existenz immer mehr in die Vibration des Geldes verlegen und sich dort eine Art Geistigkeit entwickeln, die schon jetzt ihre greifbare Realität übertrifft« (An Lou Andreas-Salomé, 1. 3. 1912).

Die auf das ›Kunstding‹ ausgerichtete Poetik des mittleren Werkes versuchte noch, dieser Abstraktheit sinnlich erfahrbare Gegengewichte zu schaffen; die ›Verwandlungs‹-

Poetik des Spätwerks dagegen akzeptiert, dass sich an die unmittelbaren Versichtbarungen der Vergangenheit auf keine Weise mehr anknüpfen lässt. Die avanciertesten Autoren des französischen Symbolismus – vor allem Mallarmé und Valéry – haben Rilke darin ebenso bestätigt wie die Entwicklung der modernen Malerei. Hier zeigen sich freilich auch die Grenzen dessen, was Rilke zu akzeptieren bereit war. Eine ganz und gar gegenstandslos gewordene Kunst lehnt er ab:

»Wir haben das wohl alle kommen sehen, diese Abrükkung der Ereignisse ins Unsichtbare, diesen an allen Stellen gleichzeitig vorbereiteten Verzicht einer Welt auf das sinnliche Äquivalent; die tiefe Verzweiflung im Schaffen Cézanne's, sein Ringen um ›réalisation‹ hat mir oft wie eine Gewaltsamkeit geschienen, Gegenstand und Bedeutung noch einmal, um jeden Preis, gleichzusetzen ‹...›. Daß ›Paul Klees‹ Graphik oft Umschreibung von Musik ist, ‹...› ist für mich der unheimlichste Moment seiner Produktivität; denn obgleich die Musik dem zeichnenden Stift Gesetzmäßigkeiten unterlegt, ‹...› so vermag ich doch diesem Sich-Verständigen der Künste hinter dem Rücken der Natur nie ohne eine Art von Schauder zuzusehen« (An Wilhelm Hausenstein, 23. 2. 1921).

Die vom Zeitgeist unabwendbar gebotene ›Verwandlung‹ bleibt so für Rilke immer Transformation – für den Dichter: Transformation in Sprache – eines vorgegebenen Objekts, die Äußeres zum Zeichen für Inneres macht. So entsteht das paradoxe Projekt einer abstrakten Mythopoesie: In sprachlichen ›Figuren‹ – die Gestaltungsleistungen vergangener Kulturen aufbewahren, aber auch neue hervorbringen – schafft der Dichter seiner Zeit die poetischen

Mythen, in denen auch die bedrängendsten Erfahrungen der condition humaine apollinisch gestaltet werden.

Am umfassendsten hat Rilke sein Konzept der ›Verwandlung‹ in seinem berühmten Brief an den Übersetzer Witold Hulewicz vom 13. November 1925 dargestellt:

»Die Natur, die Dinge unseres Umgangs und Gebrauchs, sind Vorläufigkeiten und Hinfälligkeiten; aber sie sind, solang wir hier sind, *unser* Besitz und unsere Freundschaft, Mitwisser unserer Not und Froheit, wie sie schon die Vertrauten unserer Vorfahren gewesen sind. So gilt es, alles Hiesige nicht nur nicht schlecht zu machen und herabzusetzen, sondern gerade, um seiner Vorläufigkeit willen, die es mit uns teilt, sollen diese Erscheinungen und Dinge von uns in einem innigsten Verstande begriffen und verwandelt werden. Verwandelt? Ja, denn unsere Aufgabe ist es, diese vorläufige, hinfällige Erde uns so tief, so leidend und leidenschaftlich einzuprägen, daß ihr Wesen in uns ›unsichtbar‹ wieder aufersteht. *Wir sind die Bienen des Unsichtbaren. Nous butinons éperdument le miel du visible, pour l'accumuler dans la grande ruche d'or de l'Invisible* ‹nach Maeterlincks *Leben der Bienen*›. Die ›Elegien‹ zeigen uns an diesem Werke, am Werke dieser fortwährenden Umsetzungen des geliebten Sichtbaren und Greifbaren in die unsichtbare Schwingung und Erregtheit unserer Natur, die neue Schwingungszahlen einführt in die Schwingungs-Sphären des Universums. (Da die verschiedenen Stoffe im Weltall nur verschiedene Schwingungsexponenten sind, so bereiten wir, in dieser Weise, nicht nur Intensitäten geistiger Art vor, sondern wer weiß, neue Körper, Metalle, Sternnebel und Gestirne.) Und diese Tätigkeit wird eigentümlich gestützt und gedrängt durch das immer raschere Hinschwinden von so vielem Sichtbaren, das nicht mehr ersetzt werden wird. Noch für unsere Großeltern war ein ›Haus‹, ein ›Brunnen‹, ein ihnen vertrauter Turm, ja ihr eigenes Kleid, ihr Mantel: unendlich mehr, unendlich vertraulicher; fast jedes Ding ein Gefäß, in dem sie Menschliches vorfanden und Menschliches hinzusparten. Nun drängen, von Amerika her, leere gleichgültige Dinge herüber, Schein-Dinge, *Lebens-Attrappen* ... Ein Haus, im amerikanischen Verstande, ein amerikanischer Apfel oder eine dortige Rebe, hat nichts gemeinsam mit dem Haus, der Frucht, der Traube, in die Hoffnung und Nachdenklichkeit unserer Vorväter eingegangen war ... Die belebten, die erlebten, die *uns mitwissenden Dinge* gehen zur Neige und können nicht mehr ersetzt werden. *Wir sind vielleicht die Letzten, die noch solche Dinge gekannt haben.* Auf uns ruht die Verantwortung, nicht allein ihr Andenken zu erhalten (das wäre wenig und unzuverlässig), sondern ihren humanen und larischen Wert. (›Larisch‹, im Sinne der Haus-Gottheiten.) Die Erde hat keine andere Ausflucht, als unsichtbar zu werden: *in* uns, die wir mit einem Teil unseres Wesens am Unsichtbaren beteiligt sind, Anteilscheine (mindestens) haben an ihm, und unseren Besitz an Unsichtbarkeit mehren können während unseres Hierseins, – in uns allein kann sich diese intime und dauernde Umwandlung des Sichtbaren in Unsichtbares, vom sichtbar- und greifbarsein nicht länger Abhängiges vollziehen, wie unser eigenes Schicksal in uns fortwährend *zugleich vorhandener und unsichtbar wird.* Die *Elegien* stellen diese Norm des Daseins auf: sie versichern, sie feiern dieses Bewußtsein. ‹...› Der Engel der *Elegien* ist dasjenige Geschöpf, in dem die Verwandlung des Sichtbaren in Unsichtbares, die wir leisten, schon vollzogen erscheint. Für den Engel der Elegien sind alle vergangenen Türme und Paläste existent, *weil* längst unsichtbar, und die noch bestehenden Türme und Brücken unseres Daseins *schon* unsichtbar, obwohl noch (für uns) körperhaft dauernd. Der Engel der *Elegien* ist dasjenige Wesen, das dafür einsteht, im Unsichtbaren einen höheren Rang der Realität zu erkennen. – Daher ›schrecklich‹ für uns, weil wir, seine Liebenden und Verwandler, doch noch am Sichtbaren hängen. – Alle Welten des Universums stürzen sich ins Unsichtbare, als in ihre nächst-tiefere Wirklichkeit; *einige Sterne steigern sich unmittelbar und vergehen im unendlichen Bewußtsein der Engel –, andere sind auf langsam und mühsam sie verwandelnde Wesen angewiesen, in deren Schrekken und Entzücken sie ihre nächste unsichtbare Verwirklichung erreichen. Wir sind*, noch einmal sei's betont, *im Sinne der Elegien, sind wir diese Verwandler der Erde, unser ganzes Dasein, die Flüge und Stürze unserer Liebe, alles befähigt uns zu dieser Aufgabe* (neben der keine andere, wesentlich, besteht).«

Freilich muss man sich – wie immer bei Rilke – davor hüten, in der ›Verwandlung‹ einen ausschließlich dichterischen Akt zu sehen; der Dichter findet nur die dauerndste – und intersubjektiv verbindlichste – sprachliche Gestalt für das, was wir alle immerfort leisten: die Transformation von Außenwelt in Erlebnisse und die Versprachlichung unserer Gefühle und Erfahrungen.

Ohnehin wäre die Verwandlungslehre der *Elegien* zu ergänzen um all die anderen Imperative und Lösungsangebote des Zyklus: den in vielfältigen Appellen und Bildern variierten Aufruf zur bejahenden Annahme der ganzen, auch Trieb, Leid, Vergänglichkeit und Tod umgreifenden menschlichen Existenz; zur immer nur augenblicksweise gelingenden »leichten Gestaltung« (*Dritte Elegie*, Vers 43) als Mittelwert zwischen Chaos und Erstarrung; zu humaner Rücksicht, ›Mäßigung‹ und ›Linderung‹; zur Bewahrung der wenigen Augenblicke erfüllten Daseins; zum Vertrauen auf die kreativen Potenzen unseres Inneren.

Werkpoetik und Bauformen

Gattungspoetisch knüpft Rilke an die Formtradition der Elegie an – gehaltlich an deren Grundgestus der Klage, formal an ihre Gestaltung zum langen Gedicht in hohem Ton und im Doppelvers des Distichon. Denn dies ist die metrische Grundfigur, die acht der zehn *Elegien* in Variationen und freirhythmischen Abweichungen immer wieder umspielen (häufig in fünffüßigen Daktylen als ›verkürzten‹ Pentametern); nur die *Vierte* und die *Achte Elegie* sind am Blankvers orientiert. Zugleich aber greift Rilke die Formtradition der rühmenden, freirhythmischen Hymne auf, für deren Gestaltung in harten Fügungen und harten Enjambements ihm seit 1914 Hölderlin zum wichtigsten Vorbild wurde.

In diesen traditionellen – allerdings traditionell schon zu kühnen Sprüngen, sprachlichen Verknappungen und dichter Bildlichkeit neigenden – Formen entfaltet Rilke den dezidiert modernen poetischen Diskurs seiner Dichtung. Hier kann nur auf die wichtigsten und innovativsten Gestaltungsmittel hingewiesen werden; das sind vor allem die Verfahren der ›Figur‹ und der mythopoetischen Personifikation, Verdinglichung und Verräumlichung.

Bereits im mittleren Werk hat Rilke – Anregungen Rodins und Cézannes aufgreifend und in das literarische Medium transponierend – eine Poetik der ›Figur‹ entwickelt, die an Dingen und Personen beobachtete Bewegungslinien genau in die emotionale (meist auch existenzsymbolische) Gemütslinie des entsprechenden ›Seelenzustands‹ (état d'âme) übersetzt. Auch in den *Elegien* dient diese ›Figuren‹-Poetik vor allem dazu, Elemente der Erscheinungswelt zu Bildern für innere Erfahrungen und Erlebnisse zu machen. Von daher lässt sie sich als eine den Besonderheiten der ›abstrakten‹ Gegenwart angepasste Weiterentwicklung des traditionellen ›Symbols‹ begreifen. Wie bei diesem dient als Signifikant, als Zeichenhälfte, eine sinnliche Wahrnehmung – aber nicht einfach ein statisches Bild oder ein Objekt, sondern ein dynamischer Prozess, eine raum-zeitliche Bewegungsfigur. Besonders geeignet sind kreisförmige Abläufe, an denen die Einheit von ›Steigen‹ und ›Fallen‹ unmittelbar anschaulich wird. Diese ›Geometrisierung‹ ist schon ein erster Modus der Abstraktion. Ein zweiter ergibt sich durch die Überlagerung des Signifikanten mit analogen Metaphern und Vergleichen und seine ›allegorische‹ Verbindung mit Begriffen, die direkt menschliche Gefühle und Empfindungen bezeichnen. Beispiele wären Vers 18-25 und 40-45 der *Fünften Elegie*: Ausgangspunkt – und damit Kernsignifikant – sind beide Male die Figuren der von Zuschauern umgebenen ›Saltimbanques‹; im ersten Textstück werden sie überlagert vom Bildfeld der blühenden und sich entblätternden Rose und ihrer Befruchtung durch Blütenstaub, im zweiten von den Kreisfiguren des Baumes im Wandel der Jahreszeiten und der aufschießenden und wieder abfallenden Fontäne. Durch direkte psychophysische Prädikate wie »Unlust«, »Schmerz«, »Lächeln« macht Rilke diese Figuren direkt auf ihren menschlichen Sinn transparent – hier eben auf die mechanische Pervertierung gültiger Daseinsfiguren.

In den *Duineser Elegien* steht jedoch die zweite, im Spätwerk neu entwickelte Schreibweise deutlich im Vordergrund: die mythopoetische Konkretisierung menschlicher Erfahrungen durch Personifikation, durch die Verräumlichung innerer Prozesse, durch die Ausweitung und Verselbständigung von Metaphern und durch den Entwurf innerer Landschaften; die *Dritte*, die *Vierte* und die *Zehnte Elegie* etwa sind in ihren Hauptteilen jeweils zur Gänze über solche poetischen Verfahren konstruiert. Auch diese Mythopoesie ist dezidiert abstrakt: in geometrischen Figuren organisiert und immer wieder durch direkte Verbegrifflichungen allegorisch gebrochen.

Als Zyklus sind die *Duineser Elegien* auf den ersten Blick nach dem Grundschema von Problem und Lösung, Suche und Ziel organisiert, deren gehaltliche Entsprechung der Umschlag von Klage in Rühmung wäre. Motivisch umgesetzt hat Rilke das vor allem durch die wechselnden Sprechhaltungen, die das lyrische Ich dem Engel gegenüber einnimmt: vom unterdrückten ›Schreien‹ (I,1) und ›Locken‹ (I,8 f.), über das ›Ansingen‹ (II,2), die Absage an ›Werbung‹ (VII,1 ff., 85-92) hin zum ›Preisen‹ des ›Einfachen‹ (IX,52-66) und dem erhofften ›Aufsingen‹ (X,2). Doch ist auch dies nur eines von vielen poetischen Organisationsmustern; ein fortlaufendes Argument entsteht dadurch nicht.

Genauso legitim wäre es, in jeder Elegie einen Neuansatz zu sehen, einen neuen Anlauf zum Ziel von einem jeweils neu gewählten Ausgangspunkt. Denn kein Gedicht führt direkt Argumentationsmuster und Motive der vorangehenden weiter. Auch da, wo sich offensichtliche thematische oder auch strukturelle Parallelen ergeben, ist das Verhältnis der Texte zueinander eher komplementär. Entsprechend sind auch die einzelnen Elegien aufgebaut: Immer wieder werden Reihungsstrukturen durch Leerstellen unterbrochen, die – wenn überhaupt – eher über die Logik motivischer Verknüpfungen oder poetischer Figuren als durch einen ausgeführten argumentativen Zusammenhang verbunden sind. Bis auf die *Sechste* und die *Achte Elegie* entwerfen zudem alle Einzelgedichte nicht eine, sondern gleich zwei Lösungen ihrer jeweiligen Grundproblematik, deren eine deutlich als Gegenbild zur condition humaine konstruiert ist. So setzt etwa die *Fünfte Elegie* den – zwischen nur mehr vergeblichem Versuchen und schon erstarrter Routine – äußerst seltenen Augenblicken des Glücks das utopische Bild eines im Leben so niemals erreichbaren ›Könnens‹ entgegen (Vers 95-107). Und die *Zehnte Elegie* schließt (nach dem kühnen Entwurf eines allein Sterbenden möglichen Durchschreitens des Leidlands, das Leben und Tod zum ›vollzähligen‹ Sein verbindet; Vers 47-105) mit zwei im Alltag erfahrbaren Hoffnungsbildern: Bildern eines glücklichen ›Fallens‹, die das Glück des ›Steigens‹ in sich bergen (Vers 106-113).

Denk-Figuren – Konstruktive und dekonstruktive Lektüre

Es scheint das Schicksal der *Elegien* zu sein, weitgehend in paraphrasierenden Kommentaren ausgelegt zu werden. Das mag ihnen bei denjenigen Lesern Ansehen und Interesse gesichert haben, die sich vom Dichter Lebenshilfe, eine ausformulierte Weltanschauung und Lebenslehre versprechen. Dem Ansehen Rilkes als eines modernen Lyrikers hat es eher geschadet – denn wenn über eines Konsens besteht, so darüber, dass moderne Lyrik nie Lehrdichtung sein kann.

Natürlich haben die *Elegien* einen gedanklichen Gehalt – mehr wohl sogar als alle anderen Gedichte Rilkes –, aber sie sind nicht einfach mit diesem identisch. Das ist zunächst einmal eine Banalität, da solche Kautelen für jede Dichtung gelten, auch für das biederste, traditionellste Lehrgedicht. Für die *Elegien* gelten sie jedoch in dem gesteigerten Maße, das für moderne Dichtung charakteristisch ist. Das liegt vor allem an der Komplexität ihrer Bilder, an der Häufung der Leerstellen innerhalb der Einzelgedichte, an deren relativer Autonomie und an der spezifisch poetischen Konstruktionslogik der Texte, die nur bedingt in die Logik eines Arguments überführt werden kann. Es liegt aber auch schon am kunstmetaphysischen Programm einer Bewältigung von Daseinsfragen mit ausschließlich poetischen Mitteln und innerhalb eines bestimmten poetischen Weltmodells: Das wesentliche mythopoetische Konstrukt der *Elegien* ist der ›Engel‹; ihm verdanken sie ihre spezifischen Sprechgebärden und ihre spezifische Raumlogik. Ein poetisches Weltmodell, das nicht auf eine traditionell ›transzendent‹

gedachte Bezugsgröße ausgerichtet ist, sondern auf eine, die wie Orpheus als Inbegriff monistischer Immanenz gilt, muß in wesentlichen Details anders aussehen – auch wenn es auf das gleiche Ziel einer Begründung von vertrauensvoller Lebensbejahung ausgerichtet ist. Die *Sonette an Orpheus* beweisen das überdeutlich. Mindestens genauso bedeutend sind die Unterschiede, die sich durch Formprinzipien und Formpotential von Elegie und Hymne – verglichen etwa mit denen des Sonetts – ergeben. Wie immer in Rilkes Werk gelten so alle ›Aussagen‹ nur relativ zu den formalen wie motivischen Grundkoordinaten des jeweiligen poetischen Weltmodells. Gedanklich präzise sind die *Elegien* am ehesten dort, wo sie falsche Welthaltungen kritisieren; ihre Daseinsanalyse und ihre ›Lebenslehre‹ dagegen geben sie als Bilder und Figuren – der Leser, der diese nicht in ihrer suggestiven Konkretheit wahrnimmt, wird der Dichtung nicht nur nicht gerecht, sondern beraubt sich auch einer wesentlichen Erfahrungsdimension.

Mehr noch als sonst ist jedem Leser damit eine paradoxe Doppelaufgabe gestellt: Natürlich wird er sich um ein auf Kohärenz und Zusammenhang zielendes Gesamtverständnis des Werkes bemühen. Dabei sollte er aber auch sensibel bleiben für die logischen Widersprüche und die rein bild-logischen Fügungen der Rilkeschen Denk-Figuren, die alle begrifflichen Verständniskonstruktionen immer wieder in Frage stellen.

Die erste Elegie

Abgeschlossen am 21. 1. 1912, Duino.

Auf Moll gestimmt, präludiert die *Erste Elegie* die wesentlichen Motive und Themen des Zyklus. Am Leitmotiv des ›Brauchens‹ (Vers 10, 26, 86, 89) werden in Bilder- und Beispielreihungen die Probleme der condition humaine entfaltet. Wie wenig wir fähig sind, die Herausforderungen des Lebens zu bestehen, zeigt sich vor allem an den großen Erfahrungen, in denen unser ›Herz‹ die Grenzen der »gedeuteten Welt« (Vers 13) unübersehbar überschreitet: im Erlebnis der Nacht (Vers 18-21, 26 f., 33-35), des Frühlings, der Naturelemente (Vers 18, 27 f.), der Musik (Vers 29 f.) und, natürlich, der Liebe (Vers 21 f., 36-59). Diese Gefühle sind zu groß für uns, entreißen uns auf erschreckende Weise dem Bereich des Vertrauten, der Gewohnheit (Vers 13-16), so dass wir eher bemüht sind, sie wieder einzugrenzen und zu beschränken – etwa durch ihre Fixierung auf ein bestimmtes menschliches Gegenüber, über das sie doch weit hinausreichen (Vers 22, 31-33). Von uns unbewältigt und ungewollt, von keinem Gegenüber aufgenommen und bewahrt, scheitert unser ›Herzwerk‹ so auf doppelte Weise.

Doch verharrt die Elegie nicht ganz im Negativen, sondern feiert zwei Beispiele gelungener Entgrenzung: die ›großen Liebenden‹ (Vers 36-53; s. o. S. 100) und die ›Jungverstorbenen‹ (Vers 54-88; s. o. S. 99 f.). Im mythischen Exemplum des griechischen Halbgottes Linos (Vers 91-95) wird schließlich demonstriert, wie solche Grenzüberschreitungen in gestaltete, dauernde und tröstende Erfahrungen eines gesteigerten, intensiveren, ›vollzähligeren‹ (Vers 83-85) Lebens überführt werden können – also in einen Gegenbereich zur ›gedeuteten Welt‹, den in seiner reinsten, absolutesten Form der ›Engel‹ repräsentiert (Vers 1-7, 82 f.).

Die zweite Elegie

Entstehung: Ende Januar/Anfang Februar 1912, Duino.

Noch nachhaltiger auf Moll gestimmt, führt die *Zweite Elegie* Themen und Motive der *Ersten* fort und ergänzt sie komplementär. Im Mittelpunkt steht die Klage um die Vergänglichkeit allen menschlichen Fühlens, also gerade das, was im vorangegangenen Text gültig bewältigt schien. Am Leitmotiv des ›Seiens‹ (Vers 9, 29, 39, 49, 63) werden die bereits aus der *Ersten Elegie* bekannten Motive variiert und erweitert. Wieder erscheint der ›Engel‹ als Gegenbild (Vers 1-17, 30-36), wieder werden die Liebenden als Kronzeugen gesteigerten und entgrenzten Fühlens aufgerufen (Vers 21-23, 37-50). Diesmal allerdings nicht die Virtuosen der intransitiven Liebe, sondern die einer durchaus transitiven Zweierbeziehung. Denn es geht ja nun gerade um das Du, das unser Fühlen zugleich steigert (Vers 50 f.) und ihm in widerspiegelnder Bestätigung und Berührung Dauer und Gestalt verleiht (Vers 56-60). Ganz gegenläufig zur *Ersten Elegie*, die an der Liebe die personale Einschränkung und Begrenzung des Gefühls problematisierte (I,21 f., 31-33, 38 f.), wird nun gerade die Entgrenzung leidenschaftlicher Liebeserfüllung beklagt (Vers 62-65), in der sich unsere Individualität aufhebt – ein Thema, das die *Dritte Elegie* weiterentwickelt. Wieder wird gegen diese Gefährdung ein mythisches Gegenbild aufgerufen – das der apollinischen Gestaltungsleistung schlechthin (Vers 66-73, 77-79) –, doch diesmal bleibt es, anders als in der *Ersten Elegie*, für uns unverfügbar, da gebunden an eine andere, vor-moderne Kultur.

Liest man die ersten beiden Elegien im Zusammenhang, so erhält man einen guten Eindruck von den Bauprinzipien des Zyklus. Nicht um ein lineares Fort-Schreiten von Problem zu Lösung geht es, sondern um ein möglichst vollständiges Aus-Schreiten des Problemraums der condition humaine. Der kritisierten Begrenzung der *Ersten Elegie* werden nun Bilder und Mythen der Entgrenzung entgegengestellt, dem in der *Zweiten Elegie* beklagten Vergehen und Verströmen Bilder und Mythen der Mäßigung und Begrenzung. So entstehen konzeptuelle Leerstellen, für deren Überbrückung der Zyklus keine – oder mehrere – Lösungen anbietet.

Die dritte Elegie

Begonnen Anfang 1912, Duino;
vervollständigt Spätherbst 1913, Paris.

Rilke und die Psychoanalyse.

Wenige Monate vor Entstehung der Elegie ist Rilke in München und besucht zusammen mit Lou Andreas-Salomé – der ehemaligen Geliebten, die sich bei Freud zur Psychoanalytikerin ausbilden ließ – die ›IV. Psychoanalytische Vereinigung‹ (7./8. 9. 1913), einen Kongress unter dem Vorsitz C. G. Jungs, an dem die namhaftesten Vertreter der jungen Wissenschaft der Psychoanalyse teilnehmen. Ein knappes halbes Jahr später erinnert Rilke sich in einem Brief an Magda von Hattingberg:

»Vier Jahre genau sinds her. Da erfuhr ich zuerst von der Psychoanalyse, durch einen näheren Freund ‹Victor Freiherr von Gebsattel, 1883-1976›, dem diese Disziplin in ganz andere Thätigkeiten hinein unvermuthet und umstürzend aufgegangen war ‹...› ich sah ihn lange nicht, erfuhr aber, dass er nach einer gewissen Lehrzeit Patienten übernommen hatte ‹Gebsattel behandelte auch Rilkes Frau Clara› ‹...›. Während der letzten schweren Jahre stand ich dann wirklich zwei oder dreimal vor dem Entschlusse einer Analyse, sei es durch diesen Freund, sei es durch Prof. Freud selbst; zuletzt im Herbst 1912 wars fast eine Wahl: Analyse oder Reise nach Spanien. ‹...› Als ich diesen Sommer, in München, einen der Congresstage mitmachte, geschah es, um Freud zu sehen und einen schwedischen Arzt, Dr. ‹Poul› Bjerre ‹...›. Diese Männer waren mir wichtig und merkwürdig, ihre ganze Richtung und Anwendung gehört sicher zu den wesentlichsten Bewegungen der ärztlichen, ja jener *menschlichen* Wissenschaft, die es eigentlich noch gar nicht giebt. Aber daß *für mich* nichts verhängnisvoller, tödlicher wäre, als mich den Einflüssen einer solchen Behandlung ‹...› auszusetzen: das war mir da, zum Glück, schon völlig klar geworden. Jemehr ich von den Absichten, Erfolgen und Fortschritten der Analyse erfuhr, desto besser musste ich einsehen, dass sie geradezu wie Zersetzung wirken müsste in einem Dasein, das ja doch seine stärksten Antriebe eben *darin* hatte, *dass es sich nicht kannte*, dass es durch sein eigenes schweres und seeliges Geheimnis mit allen Geheimnissen der Welt ja mit Gott selber, unerschöpflich zusammenhing und von dorther geheim und großmüthig erhalten wurde.« (21. 2. 1914)

Hier ist Rilkes ambivalentes Verhältnis zur Psychoanalyse präzise ausgedrückt: Er hat zwar mehrfach eine Analyse erwogen, sie dann aber – energisch bestärkt durch Lou Andreas-Salomé – entweder nach kurzer Zeit abgebrochen oder gar nicht erst begonnen. »Ich weiß jetzt«, so begründet er seinen (bezeichnenderweise unmittelbar nach dem Gelingen der *Ersten Elegie* gefassten) Entschluss Lou gegenüber,»daß die Analyse für mich nur Sinn hätte, wenn der merkwürdige Hintergedanke, *nicht mehr zu schreiben*, den ich mir während der Beendigung des *Malte* öfters als eine Art Erleichterung vor die Nase hängte, mir wirklich ernst wäre. Dann dürfte man sich die Teufel austreiben lassen, da sie ja im Bürgerlichen wirklich nur störend und peinlich sind, und gehen die Engel möglicherweise mit aus, so müßte man auch das als Vereinfachung auffassen und sich sagen, daß sie ja in jenem neuen nächsten Beruf (welchem?) sicher nicht in Verwendung kämen« (24. 1. 1912).

Nicht zu Unrecht hat Rilke in seiner Dichtung »eigentlich nichts anderes als eine ‹...› Selbstbehandlung« gesehen (An Gebsattel, 14. 1. 1912) – war sie doch in ihrer apollinischen Gestaltung des ›Fremden‹, ›Großen‹ in der Tat eine Art Parallelprojekt zur Aufklärung des Unbewussten in der Psychoanalyse. Daher sind die wesentlichen gedanklichen Anregungen, die von Freud auf Rilkes Werk im Allgemeinen und auf die *Dritte Elegie* im Besonderen ausgehen, eher Bestärkungen bereits bestehender Vorstellungen als radikale Neuansätze: So korrespondiert etwa das Freudsche Schichtenmodell von Bewusstsein und Unbewusstem mit Rilkes schon sehr früh entwickelter (am umfassendsten wohl im *Malte* entfalteter) Auffassung von der Begrenztheit des auf Selbstbewusstsein und Verstand gegründeten Ich; ebenso gibt es Parallelen, was die zentrale Rolle der Sexualität, ihre Verknüpfung mit geistig-imaginativer Tätigkeit oder die Bedeutung der frühkindlichen Prägung der Persönlichkeit und die Notwendigkeit ihrer Aufarbeitung anbelangt. Diese Parallelen zu erklären, bedarf es keines unmittelbaren Einflusses, wenn man nur bedenkt, wie sehr auch Freud in den Rilke prägenden Traditionen der Jahrhundertwende verwurzelt ist: in der der Lebensphilosophie im Allgemeinen und der Nietzsches im Besonderen, aber auch in den aus der Romantik stammenden naturphilosophischen Denktraditionen, die das ganze 19. Jahrhundert durchziehen und ab 1900 eine Renaissance erfahren. Wichtiger als durch direkte konzeptuelle Anregungen dürfte die Psychoanalyse für Rilke ohnehin durch ihre imaginative Katalysatorfunktion gewesen sein: Sie bereichert und erweitert seine Bildwelt – auch und gerade in der *Dritten Elegie*.

Dem unmittelbaren Kontakt mit Freuds Lehre (wie etwa beim genannten Psychoanalytischen Kongress) ist Rilkes mittelbare Rezeption der Psychoanalyse über Lou Andreas-Salomé an die Seite zu stellen, die umso prägender sein konnte, als sie ja auf noch unmittelbarer verwandten weltanschaulichen Voraussetzungen basierte und an die gemeinsamen Diskussionen aus der ersten Phase ihrer Beziehung anknüpfte. Neben persönlichen Gesprächen und Briefen ist hier vor allem an Lous einschlägige Schriften zu denken, etwa den noch vor dem unmittelbaren Kontakt mit Freud entstandenen Aufsatz *Die Erotik* (1910), den Beitrag *Narzißmus als Doppelrichtung* (1917) und die *Drei Briefe an einen Knaben* (1917; s. u. S. 142f.).

›Leichte Gestaltung‹ des Triebes.

In den beiden ersten Versen der *Dritten Elegie* unterscheidet Rilke zwischen traditioneller Liebesdichtung, die die Geliebte feiert (»die Geliebte zu singen«), und der offensichtlich sehr viel problematischeren (»wehe«) Mythopoesie von Trieb und Sexualität, dem ›Singen‹ jenes »verborgenen schuldigen Fluß-Gott des Bluts«.

Diese Unterscheidung dürfte auf ein mit Lou nach dem Psychoanalytischen Kongress auf einer Reise durchs Riesengebirge (10.-15. 10. 1913) geführtes Gespräch zurückgehen; Lou verzeichnet in ihrem Tagebuch: »Wir sprachen über Freud's Wort: ›Die alten feierten den Trieb, wir legitimieren ihn erst durch das Objekt.‹ – Rainer wie mir ist die Romantik fatal geworden, welche eigentlich ein Ersatz ist der ursprünglich tiefen, fast religiösen Auffassung des Triebes selbst.« Präzise lautet das Freud-Zitat: »Der eingreifendste Unterschied zwischen dem Liebesleben der alten Welt und der unsrigen liegt wohl darin, daß die Antike den Akzent auf den Trieb selbst, wir aber auf das Objekt verlegen. Die Alten feierten den Trieb und waren bereit, auch ein minderwertiges Objekt durch ihn zu adeln, während wir die Triebbestätigung an sich gering schätzen und sie nur durch die Vorzüge des Objekts entschuldigen lassen« (*Drei Abhandlungen zur Sexualtheorie*, zuerst 1905).

Nun hat Rilke in der Tat verschiedentlich dafür plädiert, an die antike Feier des Triebes anzuknüpfen (vgl. etwa den *Brief des jungen Arbeiters*). Wie die *Sieben Gedichte* von 1915 lässt sich auch die *Dritte Elegie* durchaus als Mythopoesie einer solchen Feier lesen. Deutlicher als die sieben ›Phallischen Hymnen‹ und als Lous zitierte Tagebuchaufzeichnung zeigt die Elegie jedoch, dass für Rilke gerade die Feier des Dionysischen dessen apollinische Gestaltung und Humanisierung voraussetzt. In der Antike war das, die letzte Strophe der *Zweiten Elegie* sprach davon, durch die Bilderwelt des Mythos geleistet; in der Gegenwart kommt diese Aufgabe der Kunst zu. Zugleich aber – und das verdeutlicht wieder einmal, wie unmittelbar für Rilke künstlerische Tätigkeit und Lebensvollzug verbunden sind – muss eine solche Humanisierung von jedem Individuum und in jeder Beziehung immer neu geleistet werden. Die *Dritte Elegie* beschwört die Notwendigkeit einer solchen Humanisierung – die weder Sublimierung noch Verdrängung meint – an zwei Beispielen: der »leichten Gestaltung« (Vers 43), mit der die Mutter dem Kind über die Schrecken der Nacht hinweghilft (Vers 9-45), und der Aufforderung an die Geliebte (Vers 81-84), Entsprechendes für das innere »Chaos« (Vers 30) von Trieb und Sexualität zu leisten. Als Frauen vermögen sie dies, da in ihnen – entsprechend der Geschlechterlogik Rilkes und seiner Zeit – Trieb und Sexualität in das Ganze ihrer Person eingebunden sind, während sich in der stärker ausdifferenzierten Persönlichkeit des Mannes Geistiges oder Leibliches zu verselbständigen droht.

Die vierte Elegie

Entstehung: 22./23. 11. 1915, München.

Kritik des Bewusstseins 1: »Ein Grund von Gegenteil«.

Seit Descartes' »Cogito ergo sum« gilt westlichem Denken das Selbstbewusstsein als Wesenskern des Subjektes und damit als Grund und Garant seiner Identität. Schon früh hat man jedoch erkannt, dass diese Bestimmung nicht ohne Probleme ist, da in ihr eine erste kategorische Abgrenzung – die das ›Ich‹ all dem, was nicht Ich, was ›Objekt‹, ›Welt‹ ist, (und damit auch dem eigenen Körper) gegenüberstellt – gedoppelt, ja quasi potenziert wird. Denn Reflexion ist ja nichts anderes als eine Beziehung zwischen zwei Teilen des gleichen Ich: dem vorstellenden Subjekt-Subjekt und dem vorgestellten Subjekt-Objekt. Dadurch aber wird sowohl der Subjekt-Objekt-Beziehung des Vorstellens wie auch der Subjekt-Subjekt-Beziehung der Reflexion eine unaufhebbare Differenz eingeschrieben. Diese Fremdheit ist schon im Verhältnis zum Objekt problematisch genug, im Selbstverhältnis des Ich aber wird sie vollends zum logischen wie psychologischen Skandalon: Eine Identitätsbegründung durch den Reflexionsakt ist nicht nur unlogisch – da eine immer bi-polare Relation (*ich* reflektiere über *mich*) nie zu Einheit, Identität führen kann –, sondern sie widerspricht auch der unwiderlegbaren Intuition des Ich, schon vor aller Reflexion mit sich vertraut und einig gewesen zu sein. Diese präreflexive Vertrautheit muß geradezu als Bedingung der Möglichkeit von Selbstbewusstsein gelten, da dessen Konstitution im Reflexionsakt nur gelingen kann, wenn das sich in ihm wieder-erkennende Ich sich schon kennt. In Analogie dazu ließe sich folgern (und Schelling hat das getan), dass auch jede gültige Objekt-Erkenntnis nur abkünftiger Modus einer ursprünglicheren Vertrautheit, ja Einheit von Subjekt und Objekt, Ich und Welt sein kann. Daher wird die Theoriegeschichte des Bewusstseins von früh an – schon bei den Romantikern und den Philosophen des Idealismus und nicht erst seit Nietzsche, Heidegger oder den

Poststrukturalisten – von Gegenentwürfen begleitet, die Modi eines nicht-vergegenständlichenden, unentfremdeten Subjekt-Objekt- und Subjekt-Subjekt-Bezugs zu formulieren suchen (vgl. dazu die diversen Publikationen Manfred Franks zu ›Individualität‹ und ›Selbstbewußtsein‹, bes. das Nachwort in dem von ihm herausgegebenen Band *Selbstbewußtseinstheorien von Fichte bis Sartre*, Frankfurt/Main 1991).

Damit ist der problem- und theoriegeschichtliche Hintergrund der Kritik des Bewusstseins in Rilkes *Vierter Elegie* wenigstens angedeutet. Obwohl sich im Gedicht vielfältig Spuren dieser Diskussion (wie sie sich in der Lebensphilosophie des frühen 20. Jahrhunderts spiegelt), nachweisen lassen, geht es Rilke natürlich nicht darum, eine in sich geschlossene Erkenntnistheorie oder Metaphysik zu entwickeln. Seine poetische Kritik des Bewusstseins besteht aus einer in Bildern entworfenen Phänomenologie der Spaltungen und Entfremdungen, die es verursacht, und aus a-topischen, zu Gegen-Orten verräumlichten Gegenbildern eines anderen, unentfremdeten Selbst- und Weltverhältnisses.

Rilkes Grundvorwurf an das menschliche Bewusstsein ist einfach und eingängig: Es erzeugt immer und überall Differenz (Vers 2, 9 f., 14-18, 64 f.). Am unmittelbarsten und einleuchtendsten geschieht das in der Spaltung in den Erlebenden und seinen Beobachter, der immer auch Vergangenes erinnert und um die Möglichkeit von Zukünftigem weiß. Das verhindert jede Unmittelbarkeit des Erlebens und entfremdet uns, im Gegensatz zu Tieren und Pflanzen, dem natürlich-biologischen Rhythmus unseres Daseins. Dieses Problem wird im Mittelpunkt der *Achten*

Elegie stehen; die *Vierte Elegie* konzentriert sich auf einen zweiten, vielleicht nicht ganz so unmittelbar einsichtigen Aspekt: auf die Spaltung, die in zwischenmenschlichen Beziehungen geschieht. Nur in den glücklichen Augenblicken der ersten Liebe – die *Zweite Elegie* sprach davon (II,54-62) – fallen hier die äußerste Erweiterung des liebenden Ich und der Bezug zum geliebten Du bruchlos zusammen; bald aber treten das Ich und die besondere, eingeschränkte Ich-Rolle, von der wir wissen, dass es die vom Du erwartete ist, auseinander. Damit wiederholt sich in der Liebesbeziehung (IV,11-13) der Grundkonflikt, der schon die familiäre Konstellation zwischen Kind und Erwachsenen bestimmte (Vers 37-52, 68-70): Wie sich der Liebende den gewussten Erwartungen der Geliebten anpasst, so beschränkt das Kind den freien Raum seiner Möglichkeiten den Erwachsenen zuliebe, die es durch ihre Liebe beherrschen und zur Anpassung zwingen (Rilke hat dies im *Malte* mehrfach thematisiert, am eindringlichsten wohl in der bekannten Schlussparabel vom ›Verlorenen Sohn‹). Die Relation zwischen diesen beiden Modi der Selbstentfremdung wird im Text zwar nirgends expliziert, doch liegt es nahe, den einen als Folge des anderen zu denken, so dass der Verrat an der Kindheit als Urszene des unglücklichen Bewusstseins gelten darf (eine in der Zeit nicht ungewöhnliche Idee: schon Nietzsche hatte die Entwicklung des Bewusstseins aus der Sozialexistenz des Menschen heraus erklärt).

Das aber macht es wahrscheinlich, dass auch die beiden Gegenbilder zum falschen Leben – das Zusammenspiel von Puppe und Engel und die Kindheit – in einem analogen Bezug zueinander stehen. Die ins Ganze des Lebens einbezogene Existenzweise des Kindes ist bereits beschrieben worden (s. o. S. 99); ihre unmittelbare Einheit wird in glücklichen Augenblicken auf mittelbare, dafür aber bewusste Weise auf der »Bühne des Herzens« wiederholt. Das Subjekt, das vor dieser Bühne ausharrt, ist nicht identisch mit dem der immer nur Spaltungen produzierenden Reflexion: Es hat sich zum einen aus allen Bindungen und Erwartungen gelöst, ist pure, interessen- und deutungslose Kontemplation (Vers 30-36); und es ist auch nicht einfach passiver Beobachter seines Subjekt-Objekts, sondern aktiver Grund des inneren Geschehens, das ohne sein Schauen nicht wäre (Vers 54 f.). Im glücklichen Augenblick kommt es so zum Zusammenspiel von Puppe als absolutem Objekt (hier also: dem physischen, materiellen Teil des Ich) und dem Engel als absolutem Subjekt (also allen Bereichen des inneren Lebens: Gefühlen, Gedanken, freier Kreativität). Viele Interpreten der *Vierten Elegie* haben den glücklichen Augenblick einer solchen Einheit mit dem Moment künstlerischer Kreation gleichgesetzt. Das ist nicht einfach falsch, nimmt aber (wie alle ästhetizistischen Deutungen des Rilkeschen Werkes) ein markantes Beispiel für die Sache selbst: Gemeint ist jede spontan-kreative Handlung, die aus der Mitte des eigenen, ganzen Ich heraus erfolgt.

Bezüge: Rilkes ›Puppen‹-Aufsatz, Kleists ›Über das Marionettentheater‹.

Um den 1. Februar 1914 verfasste Rilke den Aufsatz *Puppen. Zu den Wachs-Puppen von Lotte Pritzel*. Wieder einmal wird hier eine Erklärung für das Ende der Kindheit gesucht, für den Übergang von einem Zustand vollkommenen Weltvertrauens ohne feste Grenzen zwischen Innen und Außen, Leben und Tod, zum daseins- und selbstentfremdeten Erwachsenenleben, das sich durch Verdrängung und Konventionalisierung notdürftig in einer ›gedeuteten‹, ›vereinbarten‹ Welt einzurichten sucht. Hier findet Rilke den Grund im kindlichen Puppenspiel: Als totes und leeres Gegenüber verbraucht die Puppe all die Gefühle und Erfindungen, die das Kind auf sie projiziert, ohne je etwas davon zurückzugeben. Die Erfahrung dieser Teilnahmslosigkeit eines geliebten Objekts führt dann zum verstörten Weltverhalten des Erwachsenen, zum Misstrauen den Dingen und Menschen gegenüber und zur Urangst, dass man »nicht zu lieben sei« (*Puppen*).

Zum Verständnis der *Vierten Elegie* ist dieser Aufsatz nur mittelbar heranzuziehen – nicht nur, weil in der Elegie ja, streng genommen, von der Marionette die Rede ist, sondern vor allem deshalb, weil Rilke hier nur von der idealen, vielleicht ja utopischen, Verbindung von Puppe und Engel handelt, in der alle Negativaspekte der Kind-Puppe-Beziehung aufgehoben wären.

Ähnlich komplex ist das Verhältnis der *Vierten Elegie* zu Heinrich von Kleists Prosaschrift *Über das Marionettentheater* (1810). Rilke hat sich vor allem im Winter 1913/14 intensiv mit Kleist beschäftigt. Als er am 16. Dezember 1913 Marie Taxis von seinen Leseerlebnissen berichtet, rühmt er die *Marionettentheater*-Schrift als »ein Meisterwerk, das ich immer wieder anstaune«. Kleists kleine Erzählung – über weite Strecken ein raffiniert inszenierter Dialog zwischen einem Erzähler und einem Tänzer (Herr von C.) – ist eine originelle, vielfältig ironisch gebrochene Variation über eine der grundlegendsten Denkfiguren der Goethezeit: das triadische Entwicklungsmodell von Individuum wie Menschheit. Auf einen Ausgangszustand ursprünglicher Natur-Einheit – bei Kleist durch die »Grazie« der »antigraven« Marionette symbolisiert – folgt der gegenwärtige Zustand der Bewusstheit und Emanzipation, aber auch der leidvollen Spaltung und Entfremdung des Subjekts, der dereinst in einen dritten (mehr oder weniger utopisch gemeinten) Zustand übergehen soll, der die Vorzüge der beiden vorangehenden dialektisch miteinander verbinden wird. Mit Kleists Worten: »Wenn die Erkenntnis gleichsam durch ein Unendliches gegangen ist«, »findet sich auch ‹...› die Grazie wieder ein«.

Diese Denkfigur liegt in der Tat auch der *Vierten Elegie* zugrunde – wie vielen anderen Stellen in Rilkes Werk. Dazu bedurfte es allerdings genauso wenig der Kleistschen Anregung wie bei Rilkes Kritik an der Reflexion (vgl. bei Kleist: »in dem Maße, als, in der organischen Welt, die Reflexion dunkler und schwächer wird, ‹tritt› die Grazie darin immer strahlender und herrschender hervor«) – beides war im frühen 20. Jahrhundert gängig genug. Die entscheidenden Anregungen, die Rilke Kleists Text verdankt, liegen sicher nicht auf der konzeptuellen Ebene (wo es, neben den genannten sehr allgemeinen Parallelen, auch vielfältige Unterschiede im Detail gibt), sondern dort, wo Anregungen für einen Dichter ohnehin ungleich wichtiger sind: auf der Ebene der Bilder und Symbole, konkret also in der Verbindung der Metaphern ›Tänzer‹, ›Puppe‹ und ›Marionettentheater‹ mit der Bewusstseinsproblematik.

Die fünfte Elegie

Entstehung: 14. 2. 1922, Muzot.

Versuchte und gekonnte Figuren.

Im Zentrum der *Fünften Elegie* steht eine Familie von ›Saltimbanques‹, also umherziehende Akrobaten, die auf öffentlichen Plätzen ihre Kunststücke vorführen. Für Rilke werden sie – in einer der geglücktesten Symbolbildungen der *Elegien* – zu Repräsentanten der Grundprobleme menschlicher Existenz:

1. Ihre nur für den Augenblick, den Moment der Performanz, bestimmten Darbietungen veranschaulichen in äußerster Zuspitzung (Vers 1 f.) die Vergänglichkeit aller menschlichen Hervorbringungen. Besonders die aus Menschen geformte Pyramide in ihrem allmählichen Aufbau, dem kurzen Augenblick der Balance und der schnellen Wiederauflösung (Vers 40-45) repräsentiert (wie Ballwurf, Baum und Fontäne) in geradezu idealtypischer Weise die Rilkesche Daseinsfigur schlechthin.

2. Am Unvermögen der akrobatischen Figuren, Innerliches in körperlichem Ausdruck und Bewegungsabläufen zu realisieren, lässt sich auf ebenso anschauliche Weise die alles menschliche Tun deformierende Entfremdung von Außen und Innen ablesen: Die soziale Entfremdung im vielfältig verdinglichten gesellschaftlichen Verkehr zeigt sich vor allem am Verhältnis von Schaustellern und Zuschauern (Vers 18-25), aber auch an dem des Artistenjungen zu Vater (Vers 50 f.) und Mutter (Vers 46-48). Viel grundlegender jedoch erscheinen die Probleme des gestörten Selbstverhält-

nisses: die Entfremdung zwischen der differenzierten Innerlichkeit von Herz und Gesicht einerseits und dem Körper andererseits, der sich mit seiner vitalen Einfalt (Vers 33-35), seinen starken, einfachen Reizen (Vers 46-55) in den Vordergrund drängt. Noch wichtiger ist schließlich der schnelle Umschlag von angestrengter Bemühung in Routine und Konvention, der den einen kurzen Augenblick eines spontan unmittelbaren Gelingens nahezu ungreifbar werden lässt.

3. Gültig für alles menschliche Tun ist schließlich auch die skeptische Frage nach dem eigentlichen Subjekt des Handelns, nach dem, was die Akrobaten/die Menschen zu ihren immer neuen, immer vergeblichen Anstrengungen treibt. Dass im dreifachen Antwortversuch (Vers 1-17, 36-39, 87-93) nie das bewusste, durch freien Willen geleitete Ich genannt wird, stellt in Rilkes Weltbild allein noch kein Negativum dar – man erinnere sich nur an die Epileptiker des *Stunden-Buch* und des *Malte*, in deren Körperzuckungen machtvoll das dionysische Leben ausbricht. Dass wir wie »Spielzeug« (Vers 38) in der Hand des Lebenswillens liegen (Vers 2-17), ist gerade der Teil der condition humaine, den zu akzeptieren wir lernen müssen. Doch ist dieses Anthropologikum in der *Fünften Elegie* von einer historisch-soziologisch besonderen Bestimmung überlagert und pervertiert: Wie in der »Leid-Stadt« der *Zehnten Elegie* wird diese spezifisch moderne Deformation durch die Welt der modernen Großstadt im Allgemeinen (Vers 11 f.), bzw. durch Paris (Vers 87) als dem Inbegriff großstädtischer Lebensweise bezeichnet. Und hier wie dort führt Rilke das historische und soziologische Elend auf ein menschliches Fehlverhalten zurück: die Verdrängung des Fremden und Anderen – dessen Inbegriff der Tod ist – um der Berechen-

und Bewältigbarkeit des überschaubaren Alltagslebens willen. Dass all ihr Handeln nur dazu dienen soll, die Realität des Todes hinter gehaltloser Materialität zu verbergen – dies letztlich ist es, was die Figuren der Akrobaten bzw. die Daseinsfiguren der Menschen zu fruchtlos-unfruchtbarer Uneigentlichkeit (Vers 20-25, 41, 71) verurteilt.

Trotz all dieser Negativposten verharrt die Elegie jedoch nicht einfach im Gestus der Klage. Zum einen gibt es schon im falschen Hier und Jetzt zwei Platzhalter eines anderen, richtigen Lebens: das Lächeln des Artistenkindes (Vers 56-61), das Zustimmung, Einverständnis mit dem Leben in all seiner Schwere ausdrückt (vgl. Rilkes *La nascita del sorriso* von 1920), und der bereits in der *Vierten Elegie* imaginierte, hier als Möglichkeit »im Herzen« gefühlte (Vers 73) Augenblick spontaner und ganzheitlicher Kreativität (Vers 73-80). Zum anderen wird, wiederum genau wie in der *Zehnten Elegie*, die kulissenhafte »Leid-Stadt« mit einem Gegenort konfrontiert (Vers 95-107), der nur für den notwendig jenseits des Lebens liegt, der zwischen Leben und Tod kategorisch unterscheidet. Wie das kursivierte »noch« von Vers 59 anzeigt, ist der Ort der letzten Strophe für Rilke nicht kategorisch ins ›Jenseits‹ gebannt, sondern gehört einer hypothetisch entworfenen Existenzweise zu, die nicht mehr durch Todesfurcht verzerrt und entstellt wäre.

Anregungen: ›Saltimbanques‹ in Paris, bei Picasso und bei Nietzsche.

Wohl am 14. Juli 1907 hat Rilke in Paris eine Gruppe von Straßenartisten beobachtet und dieses Erlebnis noch am gleichen Tag in einem Brief an Dora Heidrich-Herxheimer und im Prosagedicht *Vor dem Luxembourg* gestaltet. Im Mittelpunkt steht hier – wohl als direkte Replik auf Baudelaires Prosagedicht *Le vieux saltimbanque* – der Patriarch der Gruppe, Père Rollin: ein ehemals berühmter Gewichtheber, der nun nicht mehr selbst auftritt, sondern die Darbietungen nur noch mit der Trommel begleitet (Vers 26-32). Nur am Rande erwähnt werden die Tochter Rollins, die jetzt die Truppe führt und die Ansagen besorgt, sein Schwiegersohn und, etwas ausführlicher, der junge Enkel, dem die hohen Saltos noch physischen Schmerz bereiten, ohne dass er deswegen traurig und mit seinem Leben unzufrieden wäre (Vers 40-57).

Offensichtlich ist dies der Erlebniskern, den die *Fünfte Elegie* entfaltet und weiter entwickelt. Vertieft wurde das Motiv für Rilke durch Picassos Gemälde *La famille des saltimbanques* (1905, jetzt in der National Gallery of Art, Washington). 1914 hatte es die Literatin und Kunstsammlerin Hertha Koenig (1884-1976) auf Rilkes Rat hin erworben. In ihrer Abwesenheit durfte Rilke dann vom 14. Juni bis zum 11. Oktober 1915 in ihrer Münchner Wohnung in der Widemayerstraße 32 leben und arbeiten, wo drei Bilder von Picasso hingen: die *Saltimbanques* und, direkt gegenüber, *Der sterbende Pierrot* und *Der Blinde*.

Picassos Saltimbanques führen keine akrobatischen Kunststücke vor. Sie befinden sich an einem seltsam unbestimmten Ort: einer völlig leeren, hügelig ansteigenden Landschaft, deren changierende Brauntöne fast bruchlos in das Weiß der Wolken übergehen, mit denen der größte Teil des schmalen Himmelsstreifens im Bildhintergrund bedeckt ist. Eine kleine Lücke Blau findet sich nur auf der rechten Seite, wo am unteren Bildrand, von allen übrigen Personen isoliert, die junge und schöne Mutter aus der Artistenfamilie sitzt: frontal auf den Bildbetrachter ausgerichtet, doch auch an ihm vorbeiblickend. Links von ihr und etwas weiter hinten steht die restliche Familie in einer Gruppe in Kreisform (wobei nur zwei Drittel des Kreises mit Figuren besetzt sind; es bleibt eine Lücke, in der die Mutter zu fehlen scheint). Links außen steht der Vater, ein junger Mann im Harlekinskostüm, dessen große, schlanke, starr aufrecht stehende Gestalt die Gruppe nach dieser Seite hin entschieden abschließt. An seiner rechten Hand hält er ein sehr junges Mädchen mit einem Blumenkorb, ebenfalls für den Auftritt kostümiert; mit dem Rücken zum Betrachter stehend bildet es den Anfang des Familien-Kreises, der sich auf der anderen Seite mit drei dem Betrachter zugewandten Familienmitgliedern fortsetzt: dem Großvater, einem dicken Mann im roten Clownskostüm, und den zwei Söhnen (der eine einige Jahre älter als der andere, beide älter als das Mädchen). Durch die kreisförmige Anordnung und durch die von links nach rechts abfallende Figurengröße fügt sich die Gruppe in den Kontur eines großen D (vgl. Vers 13 f.: »des Dastehns | großer Anfangsbuchstab«). Was aber vor allem auffällt, ist der fehlende Blickkontakt zwischen den Figuren: Der Großvater allein wendet sich dem Vater zu; der und alle Kinder blicken dagegen in Richtung der isolierten Mutter. Aus dieser Kontaktlosigkeit (bei gleichzeitiger Kontaktsuche), aus den zarten Pastelltönen und aus der Ortlosigkeit der Figuren, die nicht einmal in dem verlorenen Nirgendwo solide auf dem Boden zu stehen scheinen, ergibt sich der emotionale Grundton des Bildes: eine sanfte, trostlose Melancholie.

Offensichtlich sind die Saltimbanques der *Fünften Elegie* weder mit der in Brief und Prosagedicht beschriebenen

Gruppe Père Rollins noch mit der auf Picassos Bild einfach identisch. Rilkes Artistenfamilie besteht aus fünf Personen (Großvater, Vater und Mutter, ein Sohn, vermutlich das jüngste Familienmitglied, und eine etwas ältere Tochter), die Père Rollins aus vier (Großvater, Vater, Mutter und sehr junger Sohn), die Picassos aus sechs Personen (Großvater, Vater, Mutter, zwei Söhne, eine sehr junge Tochter). Schon allein diese Unterschiede im Figureninventar zeigen, dass keine einfache Abbildung vorliegt. Am engsten sind die Beziehungen zwischen der Elegie und der in Paris beobachteten Figurengruppe (der Großvater erinnert stark an Père Rollin, der Junge an den dort beschriebenen Knaben), nur dass Rilke jetzt die Akzente anders setzt (im Mittelpunkt stehen nun die beiden Kinder) und der Gruppe eine völlig neue symbolische Bedeutung gibt. Die Bezüge zu Picassos Bild sind demgegenüber sehr viel schwächer. Sicherlich gab es auch hier motivische Anregungen: die sich entziehende Mutter (Vers 47 f.), nicht zuletzt auch deren blumengeschmückter Strohhut, der eigentümlich unwirklich über ihrem Haupt zu schweben scheint und in Form und Farbe dem Blumenkorb der Tochter entspricht (Vers 87-93). Die wichtigste Anregung des Bildes dürfte jedoch darin bestanden haben, Rilke für die symbolischen Potenzen des Artistenmotivs zu sensibilisieren: Wie bei Picasso fungieren auch sonst in Literatur und Kunst des frühen 20. Jahrhunderts Artisten, Schausteller, Seiltänzer, der ganze Motivbereich von Zirkus und Varieté häufig als Metaphern für die ungesicherte und entfremdete Existenzweise des Menschen überhaupt.

Der Vergleich mit den beiden Vorlagen verdeutlicht so vor allem, dass weder die Beschreibungen des Pariser Erlebnisses noch Picassos Bild zu einer direkten Deutung der Elegie herangezogen werden dürfen. Das ist auch nicht weiter verwunderlich, wenn man die Eigenheiten des Rilkeschen Spätwerkes bedenkt: Anders als in der mittleren Werkphase sollen hier ja nicht mehr ›Kunstdinge‹ ›gemacht‹ werden, die aus genau beobachteten Objekten oder aus präzise in die spezifischen Gestaltungsmöglichkeiten der Literatur umgesetzten Vorlagen aus anderen Künsten hervorgehen.

Gut zwei Jahre später, in dem im August 1924 entstandenen vierteiligen Prosagedicht *Saltimbanques*, hat Rilke das Artistenthema in französischer Sprache noch einmal bearbeitet, diesmal am Beispiel von Seiltänzern. Jetzt wird vor allem das Verhältnis zwischen Artisten- und allgemeinem Menschenleben diskutiert, Vorbildliches und Falsches vorsichtig ausdifferenziert. Von daher lässt sich das (zur Interpretation bisher kaum herangezogene) Prosagedicht durchaus als Kommentar zur *Fünften Elegie* lesen; so umkreist etwa der vierte Absatz mit leichten Variationen deutlich das gleiche Thema wie Vers 73-80: »Quelle perfection. Si c'était dans l'âme, quels saints vous feriez! – C'est dans l'âme, mais ils ne la touchent que par hasard, dans les rares moments d'une imperceptible maladresse.«

Vor allem aber fällt von den vier Prosatexten Licht auf einen Subtext der *Fünften Elegie*, der in der Forschung wenig beachtet wurde, der aber mindestens ebenso wichtig ist wie die bisher erörterten Vorlagen: die Begegnung mit dem Seiltänzer am Anfang von Nietzsches *Zarathustra*, deren symbolischer Sinn im folgenden Zitat konzentriert ist:

»Der Mensch ist ein Seil, geknüpft zwischen Thier und Übermensch, – ein Seil über einem Abgrunde. Ein gefährliches Hinüber, ein gefährliches Auf-dem-Wege, ein gefährliches Zurückblicken, ein gefährliches Schaudern und Stehenbleiben. Was gross ist am Menschen, das ist, dass er eine Brücke und kein Zweck ist: was geliebt werden kann am Menschen, das ist, dass er ein *Übergang* und ein *Untergang* ist« (Teil 4, *Vorrede*).

Die sechste Elegie

Entstehung: Erster Ansatz: Februar/März 1912, Duino;
Vers 1-31: Januar/Februar 1913, Ronda;
Vers 42-44: Spätherbst 1913, Paris;
Vers 32-41: 9. 2. 1922, Muzot.

Die »Helden-Elegie« (wie Rilke sie selbst in einer Notiz nennt) hat bei Interpretationen des Zyklus traditionell wenig Interesse gefunden – vermutlich weil sie als ›un-Rilkisch‹ gilt, mit dem gängigen Klischee vom franziskanisch-daseinsfrommen Dichter nur schwer zu vereinbaren ist. Das verkennt jedoch die besondere Weise, in der Rilke in den *Duineser Elegien* die condition humaine konturiert: Immer treten neben die Beschreibungen des ›falschen Lebens‹ ideale Gegenbilder einer geglückten Existenz. Nicht weil diese einfach wähl- und lebbar wären, sondern weil ihre bloße Möglichkeit einem prinzipiellen Misstrauen in das Leben entgegenwirken soll.

Unter diesen Gegenbildern ist der ›Held‹ das vielleicht extremste. Mit Nietzsche – und dem frühen Rilke – gesprochen, ist der Held derjenige, der den ›Willen‹ will, der mit der ihn treibenden Lebenskraft bruchlos identisch ist und sie intensiv und ohne Zögern und Sorge auslebt (vgl. I,41 f.). All die Negativbestimmungen der menschlichen

Existenz, die die ersten fünf Elegien zusammengestellt haben, treffen so auf den Helden nicht zu: Ihn kümmert die Vergänglichkeit des Menschen nicht, da für ihn – wie für die ›Jungverstorbenen‹ (s.o. S. 99f.) – Leben von vornherein den Tod einschließt; er kennt nicht die Leiden der Reflexion, des gespaltenen Bewusstseins, von denen die *Vierte Elegie* handelte, und er fürchtet auch die Schrecken des »Blutes« nicht (III,58), da er mit diesem identisch ist. Vor allem aber findet er seine Freiheit mitten im ›Schicksal‹, das überall dort entsteht, wo zu den unaufhebbaren anthropologischen Grundbestimmungen der menschlichen Existenz besondere, letztlich einer besonderen, historisch bestimmten Lebensweise oder auch dem puren Zufall geschuldete Einengungen und Begrenzungen hinzutreten. In der etwa gleichzeitig mit dem Hauptteil der Elegie entstandenen Aufzeichnung *Erlebnis* ‹II› rühmt Rilke am Helden eben dies: Dass er inmitten menschlicher Bindungen, in »der schweren Luft« der »Herzen« zur »Überwindung gekommen sei« – und nicht, wie Rilke selbst, nur durch den Verzicht auf menschliche Beziehungen.

Im Gesamtzyklus nimmt die *Sechste Elegie* eine deutliche Sonderstellung ein. Zwar gibt es auch hier überall dort Klagetöne, wo der Held als Folie genutzt wird, um die Fehler eines falschen Lebens zu benennen (Vers 8-10, 23 f., 28-31). Insgesamt aber dominiert die Feier einer Existenzweise, die reiner, ungebrochener Lebensvollzug ist.

Die siebente Elegie

Entstehung: 7. 2. 1922, Muzot;
Neufassung des Schlusses: 26. 2. 1922.

Mit der Absage an »Werbung«, an deren Stelle die »Rühmung« und »Verwandlung« des »Hiesigen« treten soll, beginnt in der *Siebenten Elegie* ein neues Thema, das die *Neunte Elegie* fortsetzen und vollenden wird. Auf diese vermeintlich greifbarste ›Lehre‹ und ›Botschaft‹ der *Elegien* haben sich Interpreten und Leser bisher vor allem konzentriert. Doch schon der komplexe Aufbau der *Siebenten Elegie* zeigt, dass man der Dichtung so nicht wirklich gerecht wird.

Thema der Elegie ist der redende Bezug zu einem Du, wie ihn Dichtung exemplarisch verwirklicht, ohne dass er auf poetische Rede beschränkt wäre. Denn Sprache ist – darin hat der späte Rilke den für die Philosophie des 20. Jahrhunderts so ungemein prägenden ›linguistic turn‹ mitvollzogen – für den modernen Menschen ganz allgemein die adäquate Form, sein Inneres und sein Welterleben ausdrückend zu gestalten und mitzuteilen; die Menschen früherer Zeiten konnten sich noch in den Objekten ihrer alltäglichen Lebenswelt, in plastisch-konkreten Kunstwerken oder in den Objektivationen und Ritualen von Religion und Mythos ausdrücken oder ausgedrückt finden.

Die *Siebente Elegie* thematisiert in gleitenden Übergängen verschiedene Möglichkeiten einer Rede, in der das Ich sein Inneres ausdrückt und ihm über die Vermittlung an ein Du Dauer zu verleihen sucht. Auch dieses angeredete Du changiert in gleitenden Übergängen: Am Anfang steht die

Geliebte im Vordergrund (Vers 7), durch die Parallelkonstruktion zum Beginn der *Ersten*, *Zweiten* und *Zehnten Elegie* scheint der Engel jedoch mindestens mitgemeint zu sein; mit Vers 30 und 50 ist dann die Rede eindeutig an die »Liebende« (bzw. die Liebenden allgemein) und die »Geliebte« gerichtet, spätestens ab Vers 70 ebenso eindeutig an den Engel.

Aus den vorangehenden Elegien wurde deutlich, dass die hier gleich in Vers 1 f. verworfene »Werbung« – also ein Sprechen, das nur Mittel zum Zweck ist, die Isolation und Flüchtigkeit des Ich zu überwinden – das Selbst- und das Weltverhältnis des Menschen gleichermaßen entstellt und begrenzt. Eine erste Alternative dazu wäre die dem Lerchengesang verglichene »entwachsene Stimme« als reiner Ausdruck von Lebenskraft, Lebensfeier und Lebenslust – und damit als genaues Äquivalent zu dem, was die Existenzweise des ›Helden‹ ausmacht. Der sich steigernde Lebenswille greift räumlich und zeitlich immer weiter aus, bis er den ganzen Kosmos umfasst; der ganze – weder sag- noch begreifbare – Weltraum wird hier erfühlend durchlebt. Freilich umfasst diese in Vers 18-29 fortgesetzte äußerste Expansion – spiralig wie der Lerchenflug angelegt – mit Notwendigkeit auch Sterben und Tod, da die ganze Lebensfigur ja immer Steigen und Fallen umfasst (Vers 15 f.). So treffen äußerste imaginative Ausweitung des Gefühls und Imagination des Todes zusammen (Vers 28 f.).

An dieser Stelle könnte der Ruf an die ›Liebende‹ erfolgen – da diese in ihrem intransitiven Gefühl einen vergleichbaren Allbezug erreicht hat (s. o. S. 100). Doch der von äußerster Lebensfülle kündende Ruf müsste auch all die herbeilocken, denen solche Lebenserfüllung verwehrt blieb.

Damit aber schlägt die Rühmung äußerster raum-zeitlicher Expansion, wie sie nur in der Imagination realisiert werden kann, um in die des *einen* Augenblicks erlebter Intensität, innerer Erfüllung (Vers 42-45).

In der dialektischen Bewegung von äußerster Expansion zu äußerster Konzentration, vom Kosmos zum inneren Erleben und von vielfältigen Konjunktiven zum Indikativ des Hier und Jetzt hat die *Siebente Elegie* eine erste Denk-Figur abgeschlossen. Ihr schließt sich, in den Strophen 6-8, eine zweite an, die die gleiche Bewegung gegenläufig vollzieht – nun aber nicht mehr im Bereich der Natur- und Individualgeschichte, sondern in dem der Historie. Was in diesen Versen (und in der *Neunten Elegie*) als ›Verwandlungslehre‹ entwickelt wird, wurde bereits erläutert (s. o. S. 102-108). Zu skizzieren ist hier nur noch die poetische Figur, in die Rilke den diskursiven Gehalt überführt: Schicksal der Moderne ist die Beschränkung auf das ›Innen‹, doch in diesem sind (als Erinnerung und in sprachlicher Form) auch all die sichtbaren Äquivalente, die Menschen je hervorgebracht haben, gültig bewahrt. Die zweite Denk-Figur endet so in der äußersten Expansion der inneren Räume (Vers 79 f.) und in der Rühmung menschlicher Größe.

In ihrer Coda (Vers 86-92) mündet die Elegie in ihren Anfang zurück – und hebt dabei ihren Sprechakt auf doppelte Weise auf: Das in Vers 1 f. geforderte Sprechen, das ganz ohne »Werbung« wäre, ist dem Menschen unmöglich. Auch der Ruf des Vogels aus Daseinslust, auch die Rühmung menschlicher Gestaltungs- und Verwandlungsleistung zielt in diesem Sinne auf Dauer, auf Aufgehoben- und Anerkanntsein in einem Du – in Nietzsches Worten: »Alle Lust will Ewigkeit«. Aber gerade dieses Dauern-Wollen – in dieser Aporie liegt die zweite Selbstaufhebung – schließt reines Dauern aus; denkbar wäre es nur jenseits der Sphäre des Menschen: in den Welten der Tiere, der Engel und der Toten. Die Elegie mündet so in eine Paradoxie (die sie als poetische Figur ja auch realisiert hat): ein Transzendieren-Wollen, das um seine Vergeblichkeit weiß (nicht umsonst spielt der Schlussvers ja mit dem Gleichklang von ›Hin-Weg‹ und ›hinweg‹).

Die achte Elegie

Entstehung: 7./8. 2. 1922, Muzot.

Kritik des Bewusstseins 2: »Umgekehrt« und »gegenüber«.

Die *Achte Elegie* greift die Kritik des Bewusstseins aus der *Vierten Elegie* auf und präzisiert sie durch den gegenbildlichen Vergleich mit der Daseinssicherheit und -offenheit des Tieres. Zwei Gründe vor allem sind es, die das menschliche Bewusstsein im ›Gegenüber-Sein‹ (Vers 33), in unaufhebbarer Subjekt-Objekt-Spaltung verharren lassen: Erstens das Wissen um den Tod, der uns als Ziel unseres Lebensweges immer vor Augen steht und uns dazu verleitet, uns krampfhaft an Gegenwärtiges zu klammern, es durch Reflexionsakte des ›Überwachens‹ (Vers 18) und ›Ordnens‹ (Vers 68 f.) fest-zustellen. Bei allem, was ist, wissen wir zugleich, dass es irgendwann nicht mehr sein wird – und versäumen durch dieses ständige Abschiednehmen (Vers 70-75) immer die reine Gegenwart. Zugleich aber erinnern wir uns, zweitens, in einer Art von Anamnesis an einen Zustand der Einheit und des Geborgenseins, einer ursprünglichen Heimatlichkeit im Dasein (Vers 5-51), in der es noch keine kategorische Scheidung zwischen Ich und Welt gab. Ständige Angst vor dem Ende unseres Lebens und die dunkle Erinnerung an einen ganz anderen Existenzmodus an seinem Anfang sind es also, die ein Zuhausesein im Hier und Jetzt verhindern, wie es das Tier empfindet.

Poetisch umgesetzt wird diese Bewusstseinskritik über poetische Verfahrensweisen, die Rilke in den *Elegien* immer wieder verwendet: durch die gegenbildliche Konfrontation (hier im ständigen Wechsel zwischen den Erlebensweisen von Mensch und Tier); durch ein lyrisches Extrapolieren, in dem das Unfaßbare näherungsweise, über seine gerade noch vorstellbaren Grenzwerte bestimmt wird – ausgehend von den menschlichen Grenzerfahrungen der Kindheit (Vers 6-8, 19-21), des Sterbens (Vers 21-23), der Liebe (Vers 24-28), über das Weltverhalten des uns noch nah verwandten Säugetiers (Vers 43-51) zum immer fremderen der Fledermaus (Vers 61-65), des Vogels (Vers 56-60) und des Insekts (Vers 52-55); vor allem aber durch die Umsetzung von Erlebnisweisen in Raummetaphorik, hier im paradoxen Versuch, über die Oppositionen Innen/Außen, hinein/hinaus, vorwärts/rückwärts einen Bewusstseinsmodus zu evozieren, für den eben diese Unterscheidungen bedeutungslos, ja inexistent wären.

Was an der *Achten Elegie* aber wohl am meisten überrascht, ist ihre Stellung im Zyklus – sollte sie nicht in dessen erster Hälfte eingeordnet sein, etwa nach der ihr so verwandten *Vierten Elegie*? Es gibt zwar durchaus Bezüge zur *Siebenten Elegie*, die den direkten Anschluss an sie rechtfertigen: Der »entwachsene Schrei«, von dem an ihrem Anfang die Rede ist, würde einer Welterfahrung entstammen, die der der Tiere zumindest nahe verwandt wäre; und der »Anruf« voller »Hinweg« an ihrem Schluss bedient sich bereits der Raummetaphorik einer immer zielgerichteten Bewegung, die das folgende Gedicht aufgreifen wird. Dennoch hat Rilke durch die Plazierung der *Achten Elegie* einen deutlichen kompositorischen Kontrapunkt zu jeder linearen Deutung des Zyklus als Weg vom Problem zur Lösung, von der Klage zur Rühmung gesetzt – einer Lesart, die ja ganz der im Gedicht beklagten Ziel- und Besitzorientierung des depravierten menschlichen Bewusstseins entsprechen würde.

Anregungen: Lou Andreas-Salomés ›Drei Briefe‹ und Alfred Schulers Vorträge über ›Die ewige Stadt‹.

Das gespaltene menschliche Bewusstsein durch den Vergleich mit den einheitlicheren Welterfahrungen von Kind oder Tier zu konturieren, darf als etablierter Topos neuzeitlicher Subjektphilosophie gelten. Daher ist das Feld möglicher Einflüsse unüberschaubar. Zwei Texten verdankt Rilke jedoch ganz spezifische Anregungen.

Am 18. 2. 1914 erhielt er das Manuskript von Lou Andreas-Salomés *Drei Briefe an einen Knaben* (erschienen: Leipzig 1918), die – teilweise auf tatsächliche Briefe an den Sohn einer Freundin zurückgreifend – von den Geheimnissen von Liebe, Zeugung und Geburt handeln. Besonders eine Stelle hat Rilke beeindruckt; im zweiten Brief heißt es:

»Auch von den Säugetieren weißt Du, deren Brut nicht zustandekommen könnte unter so schutzlosen Verhältnissen wie etwa der Froschlaich draußen in Wind und Wetter sich zu Fröschlein entwickelt, – ja nicht einmal in der geschützten Lage, die das Vogelei unter der brütenden Wärme der Vogelmutter erhält, sondern nur im Leibe der Mutter selbst.«

Rilke notiert dazu am 20. Februar 1914 eine längere Aufzeichnung in seinem Taschenbuch, deren Formulierungen dann ein vom gleichen Tag stammender, längerer Brief an Lou Andreas-Salomé aufgreift und variiert. Beide Texte lassen sich als Kommentar zu Vers 43-65 der *Achten Elegie* lesen, die offensichtlich aus diesem gedanklichen Keim heraus gestaltet wurden. Hier der Text der Taschenbuchnotiz:

»Daß eine Menge Wesen, die aus draußen ausgesetztem Samen hervorgehen, *das* zum Mutterleib haben, dieses weite erregbare Freie, – wie müssen sie ihr ganzes Leben lang sich drin heimisch fühlen, sie tun ja nichts, als vor Freude hüpfen im Schoß ihrer Mutter wie der kleine Johannes ‹vgl. Lukas 1,39-56, bes. »als Elisabeth den grus Maria höret, hüpffet das Kind in jirem leibe«›; denn dieser selbe Raum hat sie ja empfangen und ausgetragen, sie kommen gar nie aus seiner Sicherheit hinaus.

Bis beim Vogel alles ein wenig ängstlicher wird und vorsichtiger. Sein Nest ist schon ein kleiner, ihm von der Natur geborgter Mutterschoß, den er nur zudeckt, statt ihn ganz zu enthalten. Und auf einmal, als wär es draußen nicht mehr sicher genug, flüchtet sich die wunderbare Reifung ganz hinein ins Dunkel des Geschöpfs und tritt erst an einer späteren Wendung zur Welt hervor, sie als eine zweite nehmend und den Begebenheiten der früheren, innigeren, nie mehr ganz zu entwöhnen.

(Rivalität zwischen Mutter und Welt …)«

Das, in etwa, mögen auch die Grundgedanken gewesen

sein, über die Rilke im April 1914 mit dem befreundeten Kulturphilosophen Rudolf Kassner (1873-1959) diskutiert hatte, dem er dann die *Achte Elegie* widmete. Kassner schreibt dazu: »Ich erinnere mich wohl, wie er zu mir von diesem inneren Glück der Mücke viele Jahre vor der Abfassung der Elegie in einer unserer Unterredungen im Tiergarten von Duino sprach, da auch die Rede vom Mittler ‹von Christus› war, vom Mittlertum und von seiner Beziehung dazu. Wahrscheinlich bezieht sich die Widmung darauf ebenso wie auf gewisse Stellen in meinem Grundriß einer universalen Physiognomik, der Einleitung zu ›Zahl und Gesicht‹«. Die wichtigste dieser Stellen war wohl die, in der das Bild des Fledermausflugs aus Vers 62-65 vorgeprägt ist: »Sieht man es dem Fluge der Fledermaus nicht an, daß sie keine Eier legt? Ich möchte sagen, in ihrem etwas zitternden, schwankenden, gespenstischen Fluge fehlt die reine Linie und Balance des Eies« (Kassner, *Sämtliche Werke*, Bd. 3, S. 205).

Eine zweite Anregung betrifft den Begriff des ›Offenen‹ (Vers 2 u. 8). Rilke hatte das Wort schon in *Erlebnis* ‹I› verwendet, wo er die momentane Erfahrung eines dem ganzen Sein zugewandten, nicht mehr von Todesangst verzerrten Weltverhaltens beschreibt: »Überhaupt konnte er merken, wie sich alle Gegenstände ihm entfernter und zugleich irgendwie wahrer gaben, es mochte dies an seinem Blick liegen, der nicht mehr vorwärts gerichtet war und sich dort, im Offenen, verdünnte.«

Zum Schlüsselbegriff wird Rilke das ›Offene‹ jedoch wohl erst durch eine Vortragsserie Alfred Schulers (1865-1923) über *Die ewige Stadt* (gedruckt in: *Fragmente und*

Vorträge aus dem Nachlaß, hg. v. Ludwig Klages, Leipzig 1940): Rilke besucht am 8. März 1915 den dritten Vortrag und lernt den Redner auch persönlich kennen; als die Vortragsreihe 1917/1918 wiederholt wird, ist Rilke wieder unter den Zuhörern.

Alfred Schuler gehörte um die Jahrhundertwende (zusammen mit Ludwig Derleth, Karl Wolfskehl und Ludwig Klages) zum Kreis der Münchner ›Kosmiker‹, für den sich auch Stefan George interessierte. Beeinflusst von Nietzsche, aber auch von Johann Jakob Bachofens (1815-1887) *Mutterrecht* (1861), entwickelten sie eine modernitätskritische Philosophie, die der zivilisatorisch verdorbenen Gegenwart das Ideal einer ursprünglichen Einheit von Mensch und Kosmos gegenüberstellte. Was Rilke jedoch vor allem faszinierte, war, dass Schuler »die Toten als die eigentlich Seienden, das Toten-Reich als ein einziges unerhörtes Dasein, unsere kleine Lebensfrist aber als eine Art Ausnahme davon darstellte« (An Marie Taxis, 18. 3. 1915). Für diesen »ungeheuren heilen Kreis-Lauf des Lebens und Todes« (An G. Ouckama Knoop, 12. 4. 1923) verwendet Schuler den Begriff des ›Offenen‹:

»*Im offenen Leben ist keine Religion, denn das Leben als solches ist die religiöse Tatsache.* ‹...› Im offenen Leben ist *kein Besitz*, kein Eigentum ‹...›. Alle leben im All. ‹...› Auch das Gefühl der *Freiheit*, welches dieser Zeit ‹der Urzeit› eignet, ist nichts andres als das Gefühl des Einsseins mit der Schrankenlosigkeit des Universums. ‹...› Kennzeichen des *geöffneten* Lebens sind: Gefühl der Erfüllung, der Sättigung, ‹...› Passivität, Verweilen im Augenblick, Verewigung des Augenblicks, Stillstand der Zeit, Gefühl des absoluten Seins. Im offenen Leben wird der einzelne von den inneren Strömen ergriffen und gleichsam umgedreht, so daß er nach innen blickt, in die religiöse Kraftzentrale. Indem er sich mit dieser eint, schwindet das Außerhalb; alles wird Innenleben, alles symbolisiert Innenleben. ‹...› die Geburten kommen von dort, wohin die Toten gehen ‹...›, und das jugendliche Leben – befreit – bringt auch die Toten wieder als Seligkeitsschauer um die Lebendigen. Das ist offenes Leben. Das geschlossene Leben wehrt auch den Toten die Rückkunft, es versiegelt das Jenseits« (*Fragmente*).

Die Zitatcollage mag verdeutlichen, wo Rilke in Schulers Denken Parallelen zu eigenen Ideen finden konnte; wieder aber dürften es eher Bestätigungen im Detail gewesen sein, als eine Beeinflussung durch das gesamte Gedankengebäude der Schulerschen Philosophie. Dass Rilke sich vor allem den Begriff des ›Offenen‹ aneignen konnte – vielleicht ja auch beeinflusst durch die berühmte Stelle aus Hölderlins *Brod und Wein*: »So komm! dass wir das Offene schauen« –, hängt sicher damit zusammen, dass dieser seiner Verräumlichung von Zeitkategorien kongenial war; vgl. im *Brief des jungen Arbeiters*: »Ja, es kommt mir fast unrecht vor, noch *Zeit* zu nennen, was eher ein neuer Zustand des Freiseins war, recht fühlbar ein *Raum*, ein Umgebensein von Offenem, kein Vergehn.«

Zusammenfassend hat Rilke seinen Begriff des ›Offenen‹ in einem Brief an den russischen Schriftsteller Lev P. Struve vom 25. Februar 1926 erläutert:

»Diese Achte Elegie ruft ‹...› den Liebenden nur vorübergehend auf, um eine menschliche Verfassung zu zeigen, die, einen Augenblick, jene Sicht ins Offene gewähren mag, von der ich vermute, daß sie des Tieres (in unserem Sinne) ›Sorglossein‹ ausmacht. Sie müssen den Begriff des ›Offenen‹, den ich in dieser Elegie vorzuschlagen versucht habe, *so* auffassen, daß der Bewußtseinsgrad des Tieres es in die Welt einsetzt, ohne daß es sie sich (wie wir es tun) jeden Moment gegenüber stellt; das Tier ist *in* der Welt; wir stehen *vor ihr* durch die eigentümliche Wendung und Steigerung, die unser Bewußtsein genommen hat... Mit dem ›Offenen‹ ist also nicht Himmel, Luft und Raum gemeint, auch *die* sind, für den Betrachter und Beurteiler, ›Gegenstand‹ und somit ›opaque‹ und zu. Das Tier, die Blume, vermutlich, *ist* alles das, ohne sich Rechenschaft zu geben und hat so vor sich und über sich jene unbeschreiblich offene Freiheit, die vielleicht nur in den ersten Liebesaugenblicken, wo ein Mensch im anderen, im Geliebten, seine eigene Weite sieht, und in der Hingehobenheit zu Gott bei uns (höchst momentane) Aequivalente hat«.

Die neunte Elegie

Entstehung: Vers 1-6a; 77-79: März 1912, Duino;
Hauptteil: 9. 2. 1922, Muzot.

Folgt man der Forschungsmeinung, so setzt die *Neunte Elegie* die in der *Siebenten* begonnene Verwandlungslehre (s. o. S. 104-110) fort. Dann wird man allerdings erklären müssen, warum der zweite Text nicht einfach auf Argumentationsmuster des ersten zurückgreift und sie weiterführt, sondern wieder ganz von vorne beginnt. Wenn zwischen den beiden Elegien Zusammenhang und Fortschritt bestehen soll, so muss ihn der Leser erst herstellen – der Leser, so wird man ergänzen müssen, der die Erwartung eines solchen Fortschritts an den Text heranträgt.

Macht man sich von diesem Vorurteil frei, wird man nicht nur zahlreiche gemeinsame Motive und Themen, sondern vor allem die genaue Parallelität im Aufbau der Gedichte bemerken: Wie die *Siebente Elegie* erwägt auch die *Neunte* – skeptischer freilich – zunächst die Möglichkeiten einer absoluten Aussage, eines Sagens des »Unsäglichen« (das Leitmotiv des Gedichts: Vers 26, 27, 29, 52), beschränkt sich dann auf das »Sägliche« (Vers 42) und ›Hiesige‹ – und unterläuft (ab Vers 52) diese selbstgesetzte Beschränkung dann gleich wieder in einer zweiten Denk-Figur: im »Auftrag« der »Erde«, der dem Menschen eine fast Engel-gleiche Position einräumt, und vor allem in den Versen 77-79, die die zeitübergreifende Produktivität des Herzens feiern. Dabei werden die Gelenkstellen dieser Denkfiguren (bes. Vers 28-31, 48-51) noch deutlicher als in der *Siebenten Elegie* durch motivische, nicht durch logische Brücken verbunden.

Neben diesen deutlichen Parallelen gibt es allerdings auch eine mindestens partielle thematische Kontrapunktik: die *Siebente Elegie* beginnt mit einer Feier äußerster Lebensfülle und -intensität, die *Neunte Elegie* mit einer Feier der Schmerzen; die *Siebente Elegie* rühmt in ihrem zweiten Teil monumentale Kulturleistungen, die vom Transzendenzstreben des Menschen im Irdischen künden, die *Neunte Elegie* preist Leistungen des kulturellen Bezugs (Vers 31 f., 38-41), des alltäglichen Handwerks (Vers 57 f.) und die die Vergänglichkeit transzendierende Gestaltungskraft des Herzens (Vers 77-79), wechselt daher auch von einer Apostrophe des Engels zu einer der Erde.

Beide Elegien gehen aus von der Begrenztheit und Vergänglichkeit des Menschen, die noch verschärft wird durch die Gestaltlosigkeit der modernen Lebenswelt; beide machen aus dieser Not die neue Chance einer innerlich verwandelnden und sich gerade dadurch dem Hiesigen auf neue Weise verbindenden und verpflichtenden Existenzweise. Beide bekennen sich entschieden zur ›Einmaligkeit‹ unseres jeweiligen Lebens. Im Einzelnen aber sind die Begründungen und Akzente sehr verschieden gesetzt, so daß sich die Texte am ehesten als komplementär begreifen lassen.

Die zehnte Elegie

Entstehung: Vers 1-15: Anfang 1912, Duino;
erweitert Spätherbst 1913, Paris;
erste Fassung: Ende 1913, Paris;
am 11. 2. 1922 in einer ab Vers 13
völlig neuen Fassung vollendet.

Steigen und Fallen.

Es gibt zwei gängige Lesarten der *Zehnten Elegie*, die gleichermaßen problematisch sind: Die eine, die den Zyklus nach dem Grundmodell von Weg – Ziel, Problem – Lösung interpretiert, will hier die Antwort auf alle in den früheren Elegien gestellten Fragen finden, den endgültigen, triumphalen Umschlag von Klage in Rühmung. Die andere (seltenere) isoliert das letzte Gedicht vom Zyklus, konstatiert mindestens einen radikalen Wechsel des poetischen Registers hin zu Allegorie oder Mythos.

Das größte Verdienst dieser Lesarten ist, dass sie sich gegenseitig relativieren. Natürlich ist die in den ersten Versen der Elegie geäußerte Hoffnung präzise auf die Klagen und Zweifel bezogen, die am Anfang der *Ersten* und *Zweiten*

Elegie geäußert wurden, und natürlich greift sie in gesteigerter Form die Imperative der *Siebenten* (Vers 1-29) und der *Neunten Elegie* (Vers 42-66) auf (um nur die wichtigsten Bezugspunkte zu nennen). Doch darf nicht übersehen werden, dass das ›zustimmende‹ ›Aufsingen‹ auch in der *Zehnten Elegie* nur im Optativ steht, dessen Erfüllung erst am »Ausgang der grimmigen Einsicht« erhofft wird; damit aber ist es an den Endpunkt eines Lern- und Erfahrungsprozesses gerückt, für dessen Erreichung nicht einmal der Tod sichere Gewähr bedeutet. Das mag anders intendiert gewesen sein, als Rilke den Zyklus begann und ihm mit den (in dieser ersten Schaffensphase entstandenen) Anfangsversen sein hochambitioniertes Ziel vorgab. Die vollendete Dichtung jedoch zeugt von der Erkenntnis, dass die Annahme und Bejahung der menschlichen Existenz durch keinen Willensakt und keine Einsicht erzwungen werden und nie dauernd verfügbarer Besitz sein kann. Konsequenterweise geben die *Elegien* dem Leser an ihrem Schluss nur das, was Dichtung zu geben vermag: ein »Gleichnis« (Vers 106), ein poetisches Bild, das nicht mehr sein kann als Appell und Hoffnungszeichen.

In diesem Hervortreten der Bildlichkeit gegenüber den räsonierenden Passagen liegt auch die Eigenheit der *Zehnten Elegie* als Ganzes, die freilich auf nichts anderem beruht als auf einer besonders konsequenten und in sich geschlossenen Anwendung von Verfahrensweisen, die schon die vorangehenden Texte nachhaltig geprägt haben: Mythopoesie und Verräumlichung innerer Erfahrungen.

Was im ersten Rahmenteil der Elegie (Vers 1-15) als zeitliche Zukunft vorentworfen wird, löst der Hauptteil des Textes in einer ausgedehnten Wegmetapher ein. Diese lange

Wanderung – vollzogen von drei ganz unterschiedlichen Protagonisten (Vers 27f., 41-46, 47-105) – ist zugleich Grenzüberschreitung und historischer Regress. Überschritten werden die Grenzen der ›gedeuteten Welt‹ (dieser Bewusstseinszustand der Verdrängung und Uneigentlichkeit ist hier mit einer bei Rilke sonst seltenen satirischen Schärfe und soziologischen Prägnanz als »Leid-Stadt« verbildlicht). Jenseits dieser Kulissenwelt liegen schon die auch den Lebenden zugänglichen Grenzerfahrungen von Kindheit, Liebe, Trauer und Schmerz (Vers 39-42). Ganz nach »draußen« (Vers 43) führt jedoch erst die radikale Grenzüberschreitung des Todes (Vers 47-105), in der – mindestens für die kurze Zeitspanne der »Entwöhnung« (Vers 48) vom Hiesigen – das ›vollzählige‹, Leben und Tod umgreifende Sein erfahrbar wird. Eine Reise in die Vergangenheit ist dieser Weg, weil er durch eine halbverfallene Kulturlandschaft führt, in der Leid und Schmerzen des menschlichen Lebens einst ihre apollinischen »sichtbaren Äquivalente« fanden. Der Verfall dieser Landschaft (Vers 55-64) korrespondiert ihrer Ausgrenzung und Verdrängung in der Gegenwart, die sich zur Betäubung des Leides allein auf die Tröstungen einer nur noch in äußerlichen Riten überlebenden Religion (Vers 20-22) oder auf oberflächliche »Zerstreuungen« (Vers 37) und Unterhaltungen verlässt (Vers 23-29) und sich ihr »behübschtes Glück« (Vers 25) durch materielles Gewinnstreben erkaufen will (Vers 29-33). In der sprachlichen ›Verwandlung‹ der vergangenen Leidkultur wirkt das Gedicht ihrem Vergessen entgegen und bewahrt und erneuert sie in neuen poetischen Bildern – vor allem denen des »Grab-Mals« (Vers 74-87) und der »Sterne des Leidlands« (Vers 88-95) –, einer neuen Mythopoesie des Leides. Im Schlussteil des Rahmens (Vers 106-113) treten an deren Stelle zwei symbolische ›Gleichnisse‹ – also für uns Lebendige fassbarere Bilder, die aus unserer eigenen, ›hiesigen‹ Erfahrungswelt stammen. In ihnen wird das Paradoxon anschaulich, das die Toten in uns ›erwecken‹, um »des Unrechts Anschein« (I, 66f.) von sich abzutun – uns also zu lehren, den Tod nicht einfach als pure Negation, als Feind und Gegenspieler des Lebens zu sehen. Die hängenden Kätzchen der noch unbelaubten, wie tot wirkenden Hasel und der fallende Frühjahrsregen sind, gegen den ersten äußeren Anschein, Zeichen nicht des Verfalls, sondern eines neuen, beginnenden Lebens – und in eben dieser Einheit von ›Fallen‹ und ›Steigen‹ dazu geeignet, unsere Aufspaltung des Seins in Leben und Tod, Freude und Leid anschaulich zu widerlegen.

Poetisch ist die *Zehnte Elegie* ganz ›more geometrico‹ aufgebaut: Die direkt vertikal gerichtete Transzendenzbewegung des ›Auf-Singens‹ wird zunächst in die komplexe Topographie des Leidlands überführt, die die Figur einer allmählich talaufwärts ins Gebirge führenden Wanderung mit Bildern der Ebene (Vers 61, 65), des Steigens (»Säulen«, Vers 62; »Tränenbäume«, Vers 65; der flach auffliegende Vogel, Vers 68f.; das ›empor mondende‹ »Grab-Mal«, Vers 73f.; die ›höheren‹ Sterne, Vers 88) und des Fallens (die abwärts fliegende Eule, Vers 82-84, die talabwärts fließende Quelle, Vers 99-101) verbindet. Diese Topographie spiegelt sich in der zwischen Nord- und Südpol aufgespannten Konfiguration der Sternbilder (Vers 88-95) und mündet schließlich in das Fallen und Steigen verbindende Paradoxon eines ›fallenden Glücks‹ (Vers 110-113).

Rilke und Ägypten.

Vom 25. November 1910 bis zum 25. März 1911 reist Rilke durch Nordafrika: nach Algier, El Kantara, Karthago, Tunis, Kairouan und weiter (über Neapel und Sizilien) nach Ägypten. Von Kairo fährt er mit einem Schiff nilaufwärts über Bedraschên (das antike Memphis, wo sich die große Ramses-Statue, der Sphinx und die Cheops-Pyramide befinden), Luxor (Besuch der Tempelanlagen von Luxor und Karnak und des Tals der Könige) bis nach Assuan, dann zurück über Abydos nach Kairo und Helouan.

Über keine von Rilkes großen Reisen wissen wir so wenig wie über diese. Dass sie in seinen Briefen kaum dokumentiert ist, dürfte an ihren unerfreulichen Begleitumständen gelegen haben: Rilke reist auf Einladung und in Begleitung Jenny Oltersdorfs, einer wohlhabenden, von ihrem Mann vernachlässigten Pelzhändlersgattin; Jahre später, als er beim Durchsehen von Dokumenten wieder ihre »ganz und gar in Flammen stehenden Briefe« liest, nennt er sie eine »räthselhafte Freundin« (An N. Wunderly-Volkart, 12. 11. 1925). Zwischen diesen Zeilen mag die Erklärung für Rilkes spätere Klagen über die ihm »so wenig angepaßten Verhältnisse« der Fahrt zu suchen sein (An Lou, 28. 12. 1911).

Trotz alledem gehört Ägypten – nach Russland – zu den prägendsten Landschafts- und Kulturerfahrungen Rilkes. Seine erste Begegnung mit dem Land war freilich eine imaginäre gewesen. Um Claras Ägyptenreise (Januar bis April 1907) geistig zu begleiten, hatte er in Spamers *Weltgeschichte* und in Richard Andrees *Handatlas* nachgeschlagen:

»Immer wieder seh ich mir diesen Strom ‹den Nil› an ‹...›. Aber während ich dem heiligen Wundertäter auf seinem Wege nachgehe, ‹...› steigt, wie ein Gegenspiel seiner Sichtbarkeit und Sicherheit, die Wüste herauf, ungewiß, ohne Ende und ohne Anfang, wie Ungeschaffenes ‹...›. Du wirst sie sehen. Wirst das Haupt der großen Sphinx sehen, das sich mühsam emporhält aus ihrem beständigen Anschwellen, dieses Haupt und dieses Gesicht, das die Menschen begonnen haben in seiner Form und Größe, dessen Ausdruck aber und Schauen und Wissen unsäglich langsam vollendet ward und so ganz anders als unser Angesicht. Wir stellen Bilder aus uns hinaus, wir nehmen jeden Anlaß wahr, weltbildend zu werden, wir errichten Ding um Ding um unser Inneres herum –: hier aber war eine Wirklichkeit, die sich von außen in diese Züge warf, die nichts als Stein sind. Die Morgen von Jahrtausenden, ein Volk von Winden, der Aufstieg und Niedergang unzähliger Sterne, der Sternbilder großes Dastehn, die Glut dieser Himmel und ihre Weite war da und war immer wieder da, einwirkend, nicht ablassend von der tiefen Gleichgültigkeit dieses Gesichtes, so lange, bis es zu schauen schien, bis es alle Anzeichen eines Schauens genau *dieser* Bilder aufwies, bis es sich aufhob wie das Gesicht zu einem Innern, darin alles dies enthalten war und Anlaß und Lust und Not zu alledem. Und da, in dem Augenblick, da es voll war von allem Gegenüber und geformt von seiner Umgebung, war ihm auch schon der Ausdruck hinausgewachsen über sie. Nun wars, als ob das Weltall ein Gesicht hätte, und dieses Gesicht warf Bilder darüber hinaus, bis über die äußersten Gestirne hinaus, dorthin, wo nie noch Bilder gewesen waren ‹...› unendlicher Raum, Raum, der hinter den Sternen weitergeht, muß, glaub ich, um dieses Bild herum entstanden sein ...« (An Clara Rilke, 20. 1. 1907).

Das so imaginativ vorentworfene Erlebnis ist Rilke dann in Ägypten in der Tat auf eine Weise zuteil geworden, die seine Phantasien noch übertraf. Vier Jahre später schreibt er darüber an Magda von Hattingberg:

»sehen Sie, in Berlin, den Kopf Amenophis des Vierten, im ‹...› Aegyptischen Museum ‹...› An solchen Dingen hab ich schauen gelernt, und als sie später in Aegypten zahlreich vor mir standen, in ihrer eigensten Natur, da kam das Einsehn in sie in solchen Wellen über mich, daß ich fast eine ganze Nacht unter dem großen Sphinx lag, wie vor ihm ausgeworfen von allem meinen Leben. Sehen Sie zur Musik hab ichs noch nicht gebracht, aber die Geräusche kenn ich, und da ist mir eines der seltsamsten widerfahren ‹...› Sie müssen wissen, es ist schwer an jener Stelle allein zu sein, sie ist völlig zum Gemeinplatz geworden, die nebensächlichsten Fremden werden in Massen hingeschleppt, – doch ich hatte die Abendmahlzeit überschlagen ‹...›, und übrigens schützte mich die Dunkelheit, gesehen zu sein. Ich hatte sie draußen in der Wüste herangewartet, dann kam ich langsam, dem Sphinx im Rücken, herein und rechnete, es müsse hinter der nächsten, im Abendroth gewaltig verglühten Pyramide schon der Mond heraufsteigen; denn es war Vollmond. Und da ich sie endlich umgangen hatte, stand er nicht nur schon ziemlich vorgerückt im Himmel, er ergoß eine solche Fluth von Schein über die unendliche Landschaft, daß ich mir mit der Hand sein Licht abblenden mußte, um zwischen dem Geröll und den Ausgrabungslöchern meinen Weg zu finden. – Mit dem Hintertheil seines Leibes ragt der Sphinx nicht eben bedeutend über die Sandebene hervor, denn seit den ersten Freilegungen ist er schon mehrmals wieder eingeweht gewesen, und man hat sich jetzt damit begnügt, ihn an seiner Vorderseite bis zu den Tatzen offen zu erhalten, so daß dort der Boden, abgetragen, wie in einem halben Trichter sich gegen ihn hinuntersenkt. An diesem schrägen Hange, gegen dem riesigen Gebilde über, suchte ich mir einen Platz und lag, in meinen Mantel gehüllt, erschrocken, namenlos theilnehmend, da. Ich weiß nicht, ob mir jemals mein Dasein so völlig zum Bewußtsein kam, wie in jenen Nachtstunden, in denen es allen Werth verlor: denn was war es gegen dies alles? Das Niveau, auf dem es sich abspielte, war ins Dunkel gerückt, alles, was Welt und Dasein ist, ging auf einer höheren Szene vor, auf der ein Gestirn und ein Gott sich schweigend entgegenweilten. Sie werden sich auch erinnern, dies erlebt zu haben: daß der Blick auf eine Landschaft, auf das Meer, auf die groß ausgestirnte Nacht uns die Überzeugung von Zusammenhängen und Einverständnissen eingiebt, die wir nicht zu überschauen vermöchten; dies gerade war es, was ich in einem höchsten Grade erfuhr, hier erhob sich ein Gebild, das nach dem Himmel ausgerichtet war; an dem die Jahrtausende nichts wirkten als ein wenig verächtlichen Verfall, und es war das Unerhörteste, daß dieses Ding menschliche Züge trug, (die uns innig kenntlichen Züge eines menschlichen Gesichts) und in seiner erhabenen Lage mit ihnen ausreichte. Ach, liebe Freundin, ich sagte mir, dies, dies, was wir das abwechselnd ins Schicksal hinein halten und in die eigenen Hände, es muß doch imstande sein, Großes zu bedeuten, wenn seine Form in solchen Umgebungen bestehen kann. Dieses Angesicht hatte die Gewohnheiten des Weltraums angenommen, einzelne Theile seines Schauens und Lächelns waren zerstört, aber die Auf- und Untergänge der Himmel hatten ihm überstehende Gefühle eingespiegelt. Von Zeit zu Zeit schloß ich die Augen und obwohl mir das Herz klopfte, so warf ich mir vor, dies nicht genug zu empfinden; mußte ich nicht an Stellen meines Staunens gerathen, an denen ich noch nicht gewesen war? Ich sagte mir: denk, man hätte dich hergetragen mit verbundenen Augen und dich hier schräg in die tiefe, kaum anwehende Kühle niedergelegt – du wüßtest nicht, wo du wärst, und nun schlügst du die Augen auf ... Und wenn ich sie nun wirklich aufschlug, lieber Gott, – es brauchte eine ganze Weile, bis sie es überstanden, jenes Wesen faßten, den Mund, die Wange, die Stirn leisteten, an denen Mondlicht und Mondschatten von Ausdruck zu Ausdruck überging. Wie viele Mal schon hatte mein Aug diese ausführliche Wange versucht; sie rundete sich dort oben so langsam hin, als wäre in jenem Raume Platz für *mehr* Stellen als hier unter uns. Und da, als ich sie eben wieder betrachtete, da wurde ich plötzlich, auf eine unerwartete Weise ins Vertrauen gezogen, da bekam ich sie zu wissen, da erfuhr ich sie in dem vollkommensten Gefühl ihrer Rundung. Ich begriff erst einen Augenblick hernach, *was* geschehen war. Denken Sie, dieses: Hinter dem Vorsprunge der Königshaube an dem Haupte des Sphinx war eine Eule aufgeflogen und hatte langsam, unbeschreiblich hörbar in der reinen Tiefe der Nacht, mit ihrem weichen Flug das Angesicht gestreift: und nun stand auf meinem, von stundenlanger Nachtstille ganz klar gewordenen Gehör der Kontur jener Wange, wie durch ein Wunder, eingezeichnet« (1. 2. 1914).

Sosehr Ägypten Rilke beeindruckt hat – in seinem Werk haben sich diese Erfahrungen erst in den *Elegien* in gültiger Form niedergeschlagen. Unmittelbar vor Beginn der letzten Arbeitsphase erhält er von Lotti von Wedel mehrere Photographien der Nofretete-Büste, die alte Erinnerungen wachgerufen haben mögen (vgl. Rilkes Antwortbrief vom 28. 1. 1922).

Das mag der unmittelbare Anlass gewesen sein, die ägyptischen Erlebnisse in den *Elegien* noch einmal aufzugreifen. Wodurch Ägypten am nachdrücklichsten auf diese gewirkt hat, lässt sich aus den zitierten Briefstellen freilich nur mittelbar ablesen. Vielleicht ist es, als quasi selbstverständlich, einfach vorausgesetzt: Ägypten war Rilke Gegenbild zur christlichen Kultur mit ihrer scharfen Dichotomisierung von Leben und Tod, Diesseits und Jenseits, da hier das Totenreich als unmittelbare Fortsetzung des irdischen Lebens mit all seinen Bräuchen und Gepflogenheiten gedacht wurde.

Die anderen Faszinosa Ägyptens aber werden aus den Briefzitaten sehr deutlich: Da ist zum einen die Kulturlandschaft mitten in der Wüste zu beiden Seiten des Nils. Da ist zum anderen die schiere, erhabene Monumentalität der »unerbittlich großen Dinge Ägyptens« (An A. Kippenberg, 10. 2. 1911). In diesen Kunstwerken und Bauten wird Menschliches über die ihm sonst eigenen Raum- und Zeitmaße hinaus vergrößert, in die Zusammenhänge des kosmischen Raums (dem der Sterne und der elementaren Naturgewalten) und der kosmischen Zeit hineingestellt. Dass Menschenwerk dem standhalten, ja es ausdrücken kann, verdeutlicht vor allem der Sphinx. Er wird Rilke zum Hoffnungszeichen dafür, dass der Mensch vielleicht doch nicht so verloren und isoliert im All steht, wie es zunächst scheinen mag. Dass das in der Verwendung des Sphinx-Motivs sonst wichtigste Moment – die Verbindung von Menschlichem und Tierischem – bei Rilke ganz zurücktritt, liegt übrigens wohl daran, dass (wie der zweite Brief ausführt), von der Statue damals nur das Haupt freigelegt war.

Zu Recht hat Rilke davor gewarnt, das »Leidland« der *Zehnten Elegie* einfach mit Ägypten zu identifizieren: »das ›Klageland‹, durch das die ältere ›Klage‹ den jungen Toten führt, ‹ist› *nicht* Ägypten *gleichzusetzen* ‹...›, sondern nur, gewissermaßen, eine Spiegelung des Nillandes in die Wüstenklarheit des Toten-Bewußtseins« (An Witold Hulewicz, 13. 11. 1925). Denn die Dichtung behandelt von dort entlehnte Bilder und Motive nicht nur mit dichterischer Freiheit, sondern transformiert sie vor allem in eine unserer spezifisch modernen Situation angepasste Semiotik. Die alte Kultur Ägyptens verfügte noch über die uns längst verlorenen ›sichtbaren Äquivalente‹; das Leidland dagegen ist eine reine Sprachwelt, deren ›Abstraktheit‹ durch beständige Allegorisierungen (z. B. »Tränenbäume und Felder blühender Wehmut« Vers 65) und durch die direkte Transformation in Sprachzeichen und Wörter unübersehbar signalisiert wird (Vers 69, 90-95). Von daher verändert sich auch der Sinn der besonderen Wahrnehmungsweise des Sphinx: Was am ägyptischen Erlebnis ein wahrnehmungspsychologischer Glücksfall gewesen sein mag – schon Kant hatte ja am Beispiel der ägyptischen Pyramiden dargelegt, daß erhabene Objekte wegen ihrer Größe visuell nicht als Ganzes erfaßt werden können (*Kritik der Urteilskraft* §26) –, wird in der Elegie zu eben der ›Verwandlung‹ von Sichtbarem in Hörbares, von der die *Sonette an Orpheus* reden werden.

Manfred Engel

Die Sonette an Orpheus

Unmittelbar nachdem Rilke das Manuskript der *Sonette an Orpheus* abgeschlossen hatte, schreibt er seiner Verlegerin, in diesen Gedichten sei »oft sehr weit Herstammendes geformt, Wesentliches aus dem ägyptischen Erlebnis... Manches, das sich lange, ganz ungeschüttelt, einklären durfte und daneben, dicht daneben, Unmittelbares, das bei der ersten Aufnehmung schon klar war ‹...› So ist auch (mit zwei Ausnahmen, da Gedichte durch andere ersetzt wurden) die Anordnung innerhalb der beiden Abschnitte die chronologische geblieben; für jede Umstellung fehlt mir der Abstand. Auch mag diese Folge, der Entstehung nach, ihre Berechtigung mitbringen, weil oft mehrere Sonette an einem Tage, ja beinah gleichzeitig, sich einstellten« (An Katharina Kippenberg, 23. 2. 1922). Die *Sonette an Orpheus* sind alle im Februar 1922 auf Schloss Muzot bei Sierre, Kanton Wallis (Schweiz) entstanden, also in derselben Zeit, die auch die Vollendung der *Duineser Elegien* brachte, und am selben Ort wie diese. Der »Erste Teil« wurde tatsächlich in beinahe endgültiger Folge und Textgestalt niedergeschrieben, und zwar vom 2. bis 5. Februar. Der »Zweite Teil« folgte vom 15. bis 23. Februar. Hier stimmt allerdings die Abfolge der Gedichte in der Druckfassung nur noch ungefähr mit der Chronologie ihrer Entstehung überein.

Ein wesentliches Moment der äußeren und inneren Genese der *Orpheus*-Dichtung ist deren Verhältnis zu den *Duineser Elegien*: Die *Sonette* rahmen von der Chronologie her die späten *Elegien* von 1922 ein. Gleichwohl ist der Zusammenhang der *Sonette an Orpheus* mit den *Elegien* weniger eng als der mit Rilkes Lyrik der nachfolgenden Jahre. Dieser Sachverhalt erklärt sich aus der langen Entstehungszeit der *Duineser Elegien*, während der sich das ursprüngliche Konzept zwar im Einzelnen veränderte, aber nie als Ganzes aufgegeben wurde, und ferner daraus, dass die *Sonette an Orpheus* ganz aus der von Rilke inzwischen erreichten inneren Disposition geschrieben sind. Das heißt, in den *Elegien* war Vergangenheit nachzuholen und an die Gegenwart heranzuführen, wodurch der Abschluss einer Werkphase erreicht wurde, während die *Sonette* auf der Ebene des Erreichten beginnen und zur Zukunft hin offen sind.

Es ist sogar wahrscheinlich, dass hier insgeheim eine genetische Dialektik gewirkt hat: dergestalt, daß der noch *vor* den letzten *Elegien* entstandene erste Teil der *Sonette an Orpheus* zu einer wesentlichen Voraussetzung für die Vollendung des *Elegien*-Zyklus wurde, wie auch umgekehrt der *nach* den *Elegien* geschriebene zweite Teil der *Sonette* starke Impulse aus der Tatsache erfuhr, dass jenes andere, sozusagen um zehn Jahre verspätete Werk nunmehr geschaffen war. Jedenfalls kann man die Ablösung des übermächtigen Engels der *Elegien* als einer Figur der Grenze durch den vergöttlichten Sänger Orpheus als eine Gestalt der Mitte in ihrer Bedeutung kaum überschätzen. Sie kommt einem poetischen Paradigmawechsel gleich, der seine sichtbare Entsprechung in einem klaren Formgegensatz besitzt: Zur Engel-Dichtung gehörte die antike Form der reimlosen Elegie, die durch deutsche Vermittlung, nämlich durch Klopstock und Hölderlin, in freirhythmische Hymnik überführt wurde, wie sie in der *Fünften Elegie* erreicht ist; die Orpheus-Dichtung dagegen hat sich in der konzisen romanischen Sonettform mit ihren reichen Reimgebänden realisiert. Die ›kleine‹ Form des strophischen, gereimten Gedichts bleibt denn auch mit Ausnahme der *Elegie* für Marina Zwetajewa und weniger anderer, nicht unwichtiger Texte bis zu Rilkes Tod maßgebend.

Eine neue Poetik

Als Rilke an der Schwelle jenes Februars 1922, der ihm die Vollendung der *Duineser Elegien* ermöglichte, einige präludierende Gedichte schrieb, ahnte er wohl noch nicht, dass sich darin ein zweites, die *Elegien* ergänzendes lyrisches Hauptwerk ankündigte. Nachträglich vermag man jedoch im letzten jener ›Auftaktgedichte‹, das am 1. Februar entstand, durchaus den völlig neuen poetologischen Entwurf der *Sonette an Orpheus* zu erkennen. Es beginnt mit einer Frage, die nicht mehr in die Richtung elegischen Dichtens weist: »... Wann wird, wann wird, wann wird es genügen| das Klagen und Sagen?« Und es schließt mit einer Antwort, deren Sinn im Orpheus-Zyklus voll realisiert werden sollte: »Da uns die Sterne| schweigende scheinen, im angeschrieenen Äther!|| Redeten uns die fernsten, die alten und ältesten Väter!| Und wir: Hörende endlich! Die ersten hörenden Menschen«.

Dementsprechend entwickelt sich gleich zu Beginn der *Sonette an Orpheus* das ›Hören‹ zu einem poetischen Leitmotiv und tritt tatsächlich an die Stelle des Klagens und des Sagens der *Elegien*: Während in der *Neunten Elegie* der berühmte Vers steht: »Sag ihm ‹dem Engel› die Dinge«, beginnt das erste der *Sonette* mit der kühnen Bildvorstellung vom »hohen Baum im Ohr«, den das Singen des Orpheus erzeugt. Im letzten Vers des Gedichts heißt es sodann, Orpheus habe den Tieren »Tempel im Gehör« geschaffen. Und das Schlussstück des ersten Teils der *Sonette* endet mit einem Terzett, das fast wörtlich an das zitierte Auftaktgedicht anknüpft:

> O du verlorener Gott! Du unendliche Spur!
> Nur weil dich reißend zuletzt die Feindschaft verteilte,
> sind wir die Hörenden jetzt und ein Mund der Natur.

Als Rilke den ersten Teil des Zyklus geschrieben hatte und sich dann nach dem Abschluss der *Elegien* noch ein zweiter Teil *Sonette* ergab, war er sich immer noch nicht der Bedeutung dieser lyrischen Schöpfung bewusst. Er stellte sie auf eine Stufe mit dem ›Nebenprodukt‹ der ersten *Duineser Elegien* von 1912: »So wie damals neben den ersten großen Elegien (auf Duino), in vor- und nachbewegten Nebenstunden, das *Marien-Leben* sich einstellen mochte, so ist diesmal eine Reihe von (etwas über fünfzig) Sonetten entstanden. (An Marie Taxis, 25. 2. 1922). Erst allmählich, unter dem Einfluss von Stimmen seiner Freunde, korrigierte Rilke seine Meinung. Heute sieht man in den *Sonetten an Orpheus* eine durchaus eigenständige Dichtung, die eher der nächsten und letzten Werkgruppe Rilkes zugehört als den *Duineser Elegien*, unter deren Zeichen die Jahre 1912 bis 1922 gestanden hatten.

In den *Sonetten an Orpheus* spricht ein lyrisches Ich in der Rolle eines Mittlers zwischen dem Gott des Gesangs und den Menschen. So nehmen die *Sonette* gleichsam die Form einer ›Lehrdichtung‹ an, vergleichbar den altgriechischen Hymnen, die unter dem Namen des Orpheus verbreitet waren. Wie jene sich nur an Eingeweihte und nicht ans breite Publikum richteten, eignet auch diesen eine gewisse Esoterik, mit der es freilich eine besondere, für das Leseverhalten wichtige Bewandtnis hat. Esoterik bedeutet hier nicht Beschränkung der Wirkungsabsicht auf einen geschlossenen, auserwählten Personenkreis – eine derartige Haltung kennzeichnet Stefan George als Gründer und Lehrer eines gleichgesinnten Kreises. Der Eindruck von Esoterik ergibt sich in den *Sonetten an Orpheus* vielmehr aus der Eigengesetzlichkeit eines in sich zentrierten Sprachraumes.

Diese Eigengesetzlichkeit läßt sich näher charakterisieren als ›bestimmte Unbestimmtheit‹ – ein Paradoxon, das die widerspruchsvolle Spannung bezeichnet zwischen Rilkes poetischer Genauigkeit – »Er war ein Dichter und haßte das Ungefähre« (*Malte Laurids Brigge*; KA III 572) – und der Vielzahl in der Schwebe bleibender Bedeutungen, die seine Gedichte enthalten. Wenn beispielsweise die *Sonette an Orpheus* mit den Versen einsetzen: »Da stieg ein Baum. O reine Übersteigung!| O Orpheus singt! O hoher Baum im Ohr!«, so ist das eine präzise Satzfolge und die Konstitution eines sehr stringenten Textes: Das ›Steigen‹ eines Baumes wird zunächst in einem verkürzten Ausrufsatz als eine »Übersteigung« gerühmt und diese dann in einem gleichartigen Satz als Wirkung dem Singen des Orpheus zugeschrieben, derart dass der Baum nun im Ohr hörbar ist. Völlig unbestimmt bleibt jedoch, ob der Baum anfangs noch gegenständlich genommen werden darf – als ein Baum, dem, wie in anderen Gedichten Rilkes, das Steigen von Natur aus eignet. Oder ob der Baum im Gesang überhaupt erst erzeugt wird und letztlich mit dem auf- und übersteigenden Gesang des Orpheus identisch ist. Ebenso erweist sich die Bedeutung von »Übersteigung« als ambivalent. Übersteigt sich zum Beispiel der Baum als existierender oder gesungener selber, gehört zu jedem Steigen immer schon die Tendenz, über sich hinauszugelangen? Oder meint das Übersteigen hier ganz konkret die sich im Singen vollziehende Transponierung des Baumes ins Gehör des Aufnehmenden? Die Antwort auf diese Entweder-oder-Fragen kann nur lauten: In den beiden Versen werden *alle* genannten Bedeutungen zugleich ins Spiel gebracht und sind nicht in der einen oder anderen Richtung festlegbar. Denn in der orphischen Welt gibt es die Unterscheidung zwischen der Außenwelt, in der Bäume existieren, und dem Raum des Singens und Hörens nicht; in ihr sind die Dinge immer schon verwandelt anwesend, sofern »Orpheus singt«. Entweder-oder-Fragen verbieten sich also von vornherein. Das hat Folgen für die Lektüre dieser Texte.

So ist gleich beim zweiten Sonett *Und fast ein Mädchen wars* der sprachliche Prozess wieder von großer Bestimmtheit, und doch hat das »Mädchen«, das aus dem »einigen Glück von Sang und Leier« hervorgeht, die unterschiedlichsten Auslegungen erfahren: Wera Ouckama Knoop, deren Andenken der Zyklus gilt, sei gemeint, sagen die einen; dem ›inneren Mädchen‹ als der weiblichen Komponente jedes schöpferischen Menschen, vornehmlich des Dichters, gelte die orphische Rühmung, halten andere dagegen. Dabei hat doch Rilke sein immer und überall gebrauchtes Sprachzeichen für Unbestimmtheit, das Wörtchen ›fast‹, hier gleich zweimal gesetzt: in der ersten und als Wiederholung in der letzten Zeile des Sonetts. Solche Signale sollten den Leser veranlassen, inhaltliche Festlegungen nicht zu weit zu treiben und mehrere Bedeutungen gelten zu lassen: Natürlich darf man im vorliegenden Fall eine Beziehung zu der jung verstorbenen Wera Ouckama Knoop mitvernehmen, und natürlich spielt die Rilke vertraute psychologische Vorstellung von der Zweigeschlechtigkeit des Dichters hinein, aber wichtig ist vor allem, was in dem Sonett der Gesang des Orpheus an dem Dichter-Ich bewirkt, dass er auch dieses mythisch verwandelt. Und da bleibt vieles bewusst unbestimmt und offen.

Die nachfolgenden Sonette gehen über das bisher Festgestellte noch hinaus, indem in ihnen die semantische Unbestimmtheit deutlich zur Inhaltlosigkeit tendiert. So lauten die Schlußverse von I,3: »In Wahrheit singen, ist ein andrer Hauch.| Ein Hauch um nichts. Ein Wehn im Gott. Ein Wind.« Der »Hauch um nichts« sollte sowohl als Singen um keines Zweckes willen verstanden werden wie als Singen, das um eine Mitte kreist, die notwendig leer bleibt – ein ›Nichts‹ mit positivem Vorzeichen. Diese inhaltlich nicht näher festlegbaren Bilder korrespondieren aufs genaueste mit dem Schlußakkord des Sonetts I,4: »Aber die Lüfte. . . aber die Räume. . .«. Solche Evokationen sind bewusst bis an die Grenze des Schweigens vorangetrieben, die sich hier in den Punktreihen markiert. Gedanklich entfaltet findet sich das Verharren an der Grenze des Unsagbaren im Sonett I,10. Dort werden die offenen antiken Sarkophage als »die wiedergeöffneten Munde,| die schon wußten, was schweigen heißt«, gerühmt, während von ›uns‹ gesagt wird: »Wissen wirs, Freunde, wissen wirs nicht?| Beides bildet die zögernde Stunde| in dem menschlichen Angesicht.«

Die an wenigen exemplarischen Fällen verdeutlichte Eigengesetzlichkeit des Orpheus-Zyklus öffnet die Dichtung nun gerade für alle möglichen Rezipienten und macht diese frei in ihrem Leseverhalten. Der Einzelne wird zwar die Texte genau aufnehmen, jedoch nichts Isoliertes unmittelbar auf sich beziehen, da er weiß, dass sich die dezidierten Gesten und Appelle nicht an ihn als empirische Person oder einen irgendwie vorgestellten Kreis wenden. Was er stattdessen als Leser gewinnt, ist die Teilhabe an sprachlich-poetischen Prozessen, die die Möglichkeiten eines sinnhaften Sprechens und auch Lebens immer wieder neu erproben. Dabei interessiert vornehmlich, auf welche Weise das einzelne Gedicht, die thematisch zusammengehörige Gedichtgruppe und der ganze Zyklus sich jeweils schließt und wie sich die künstlerische Geschlossenheit zur gedanklichen Unbestimmtheit und Offenheit verhält. Es geht ja beim späten Rilke und hauptsächlich in den *Sonetten an Orpheus* um die Bejahung und ›Rühmung‹ des irdischen Daseins in seiner ganzen Breite und mit seinen Widersprüchen, d. h. um eine poetische ›Ontodizee‹ als umfassende ›Rechtfertigung‹ alles Seienden. So beziehen die Gedichte denn auch sehr vieles in diese Rühmung ein, indes doch nicht alles: Es werden bewusst Grenzen gesetzt, und es bleibt manches als unbewältigt draußen. Sinnlos und unproduktiv wäre es, hier im Einzelnen nach richtig und falsch zu urteilen. Wohl aber darf sich der Leser aufgerufen fühlen, aufgrund seiner eigenen Erfahrungen zu prüfen, wieweit in der Grundhaltung der *Sonette an Orpheus* vielleicht eine Alternative zur heute vorherrschenden Lebenspraxis, zu unserm Umgang mit der Natur und dem Menschen, liegt. Was darüber hinausgeht, nämlich die Dasein und Welt deutenden Gedanken und Sinnbilder, sind immer nur Angebote; sie werden nirgends dogmatisch oder gar indoktrinierend ›gelehrt‹. Selbst ein in den Rilkeschen »Himmel« versetztes »Sternbild« – wie das Bild des »Reiters« – beansprucht keinen ideellen Ewigkeitswert mehr, sondern es »genügt«, »eine Weile« daran »zu glauben« (SaO I,11). Das bedeutet aber, dass vom Leser im Grunde überhaupt kein ›Glaube‹ gefordert ist, sondern dass im Gegenteil seine geistige Freiheit auf alle Weise gefördert und sein Vorstellungsvermögen erweitert wird.

Formfragen

Die *Sonette an Orpheus* sind ein Gedichtzyklus. Und die Tendenz zur zyklischen Großform ist ein hervorstechendes Merkmal der modernen Lyrik. Rilke selber stellte in einer späten Äußerung zu seiner poetischen Schaffensweise fest, dass er »über die bloße geordnete An-Sammlung mit dem Orpheus und den großen Elegien endgültig hinausgekommen« sei (An Katharina Kippenberg, 30. 6. 1926). Mit der bewussten Weiterentwicklung zyklischer Strukturen, begonnen beim *Stunden-Buch*, hat Rilke im Zusammenhang der modernen Lyrik des 20. Jahrhunderts tatsächlich einen neuen Status erreicht. Nicht nur, daß in seinen späten Gedichtzyklen, die man mit Helmut Heißenbüttel vielleicht besser ›zyklische Gedichte‹ nennen sollte, das einzelne Poem aufhört, taktische Einheit zu sein, und die lyrische Inspiration, anstatt bloß momentan und punktuell zu wirken, größere Zusammenhänge erschafft: Es geht mit diesem Formenwandel, den wir ebenso bei Arno Holz und Stefan George beobachten, zugleich eine besondere Entsubjektivierung einher. Solche Lyrik beansprucht, dank ihrer Sprachlichkeit auf eine neue Weise welthaltig oder weltschaffend zu sein. Auf jeden Fall drückt sich in ihr nicht nur Inneres aus, auch verbindet sie nicht symbolisch Außen- und Innenwelt, und noch weniger bildet sie ab, was wir als unsere äußere Realität bezeichnen. Stattdessen wird ein möglichst weiter thematischer Umkreis mit Hilfe eines Einheit stiftenden geistig-poetischen Apriori abgeschritten.

Mit den *Duineser Elegien* hatte Rilke von Anfang an das Ziel eines solchen Zyklus verfolgt; und seine leidvollste Erfahrung war es, dass vielfältige Hindernisse, darunter das ›Verhängnis‹ des Ersten Weltkriegs, durch Jahre hindurch die Verfassung nicht aufkommen lassen wollten, deren das anspruchsvolle Konzept zu seiner Verwirklichung bedurfte. Die *Sonette an Orpheus* dagegen waren nicht von langer Hand als zyklische Dichtung vorbereitet. Sie sind das Ergebnis eines produktiven Überschusses. Umso mehr haben sie sich zu einem Werk zusammengeschlossen, das nicht die Merkmale des Gewollten trägt, dem kein bewusster Konstruktionsplan zugrunde liegt. Seine gestalthafte Einheit verdankt sich vielmehr der homogenen Entstehungsweise innerhalb weniger Tage und dem freudig gelösten Ton dieser Gedichte, ferner der Konzentration aller Themen und Motive auf einen Mittelpunkt sowie der besonders dichten Verwebung des Ganzen.

Der Titel *Sonette an Orpheus* provoziert indes die Frage,

ob Rilke in seinem zyklischen Gedicht die überkommene, streng festgelegte Sonettform noch habe erfüllen wollen und können oder ob er das Sonettschema nur als Ausgangspunkt gewählt habe, um etwas anderes daraus zu machen. Grundsätzlich gibt es drei Möglichkeiten für den modernen Dichter, sich zu den tradierten poetischen Formen zu verhalten. Er kann erstens die problematisch gewordenen, nicht mehr fixierbaren Inhalte oder gar den Verlust von Werten durch eine umso strengere Formkunst zu kompensieren suchen, wie es Stéphane Mallarmé und Gottfried Benn getan haben. Zweitens lassen sich alle traditionellen Formen wie jede formale Meisterschaft einem radikalen Ideologieverdacht aussetzen, so dass nur noch Formzerstörung als erklärtes Ziel übrig zu bleiben scheint; die Avantgarde hat zu einem großen Teil diesen Weg der ›verbrannten Erde‹ beschritten. Drittens aber besteht die Möglichkeit, alte Formen so zu verändern, dass sie befähigt werden, ganz neue Inhalte zu vermitteln.

Das letztere scheint Rilkes Absicht gewesen zu sein. Denn am 23. Februar 1922 schreibt er zum Problem der Gedichtform in seinem Orpheus-Zyklus an Katharina Kippenberg: »Ich sage immerzu Sonette. Ob es gleich das Freieste, sozusagen Abgewandelteste wäre, was sich unter dieser, sonst so stillen und stabilen Form begreifen ließe. Aber gerade dies: das Sonett abzuwandeln, es zu heben, ja gewissermaßen es im Laufen zu tragen, ohne es zu zerstören, war mir, in diesem Fall, eine eigentümliche Probe und Aufgabe: zu der ich mich, nebenbei, kaum zu entscheiden hatte. So sehr war sie gestellt und trug ihre Lösung in sich.«

Dem ist wenig hinzuzufügen. Rilke hat das rationale und reflexive Sonett bewusst ›singen‹ gelehrt, indem er dessen

Stabilität in schwebende Musikalität überführte. Sein freiestes Spiel mit den einzelnen Formelementen geschieht nicht aus Willkür, sondern wird als Aufgabe begriffen: Es geht, wie schon in den Sonetten der *Neuen Gedichte*, um eine ›Verzeitlichung‹ der räumlich-statischen Sonettstruktur und darüber hinaus eben um ihre Musikalisierung. Das bedeutete vor allem die radikale Erprobung ihrer Wandlungsfähigkeit. Wenn Rilke dabei offensichtlich nicht auf eine Zerstörung der Form abzielte, dann sollte man die noch verbleibenden statischen Sonettqualitäten nicht übersehen, sondern das Gestaltungstelos in einem strukturellen Gleichgewicht von räumlichen und zeitlichen Komponenten erkennen.

Zum Mythos in Rilkes Orpheus-Dichtung

Die wesentlichen Elemente des griechischen Mythos von Orpheus, dem ältesten und bedeutendsten Sänger der Frühzeit, Sohn des thrakischen Königs Oiagros und der Muse Kalliope (wenn Apollon als Vater genannt wird, ist das meist metaphorisch-allegorisch gemeint), hat Ovid in seinen *Metamorphosen* erzählt. So den berühmten Gang des Orpheus in die Unterwelt, wo sein Gesang Persephone und die Toten zu Tränen rührt, so dass seine an einem Schlangenbiss gestorbene Gattin Eurydike ins Leben zurückkehren darf, mit der tragischen Folge, die Rilke in *Orpheus. Eurydike. Hermes* (KA I 500-503) neu gestaltet hat; ferner die Wirkung seines Singens auf Bäume und Tiere, ja die ganze Natur; schließlich seinen Tod durch die Mänaden, die ihn zwar in Stücke zerreißen, aber seinen Gesang nicht zum Verstummen bringen können. Eine lateinisch-französische Ausgabe der *Metamorphosen* hatte Rilke zu Weihnachten 1920 von Baladine Klossowska als Geschenk erhalten. Ebenso wie sie zu Beginn des Winters 1921/22 für ihn eine Postkarte mit der Reproduktion einer Federzeichnung Cima da Coneglianos (um 1459-1518) gekauft und seinem Schreibtisch gegenüber angeheftet hatte: Orpheus zu Füßen eines Baumes spielend, von den Tieren des Waldes belauscht. Das waren einige äußere Anstöße, die gewiß einen nicht gering zu schätzenden Anteil an der überraschenden Entstehung der *Sonette an Orpheus* im Februar 1922 besaßen. Wo aber liegen die inneren Gründe für Rilke, den alten Mythos in seiner modernen Dichtung zu erneuern?

Die *Zweite Elegie* endet in einer Klage über den Verlust der »Götter«, das Fehlen eines gemeinsamen Mythos in unserer Zeit: Während die Griechen gewusst hätten, dass alles Gewaltige, das ihnen geschah, von den Göttern ausging, entsprächen den Kräften unseres Herzens, die »noch immer« unser endliches Dasein ›übersteigen‹, keine mythischen Äquivalente mehr. Dennoch hat Rilke einen Engel-Mythos als strukturbildendes Element der *Duineser Elegien* geschaffen; dennoch schrieb er die *Sonette an Orpheus*, in denen alle Aussagen auf den mythischen Sänger bezogen sind, den Rilke vergöttlichte, während er den Griechen kein Gott war. Wollte er mit den beiden Zyklen einem Mangel unserer bilder- und glaubenslosen Gegenwart abhelfen, indem er alte Mythen restaurierte oder neue erfand?

Rilkes späte Dichtung verfolgt einerseits, in Übereinstimmung mit gleichzeitigen Erscheinungen in der bildenden Kunst, eine Tendenz zu Abstraktheit und geometrischer Figürlichkeit. Anderseits entfaltet sich in ihr jedoch eine starke mythisierende Kraft, angeregt und befördert durch

George, Hölderlin und zuletzt Alfred Schuler. Hierin liegt ein schwer verständlicher Widerspruch: Abstraktheit ist ein Symptom des Verlusts einer sich im Sicht- und Greifbaren sinnlich ausprägenden Kultur; sie bedeutet jedoch auch eine bewusste Preisgabe vermeintlich sicherer geistiger ›Besitztümer‹, während jeder Mythos ganz konkret einen geistig-seelischen Halt zu bieten beansprucht, sei es für eine ganze Kulturgemeinschaft, sei es nur für eine Kultgemeinde. Mit ihm scheint der Anschluss an frühestes, voraufklärerisches Denken und Vorstellen möglich. Dieser Widerspruch löst sich bei Rilke in einem durchgehend paradoxen Konzept auf, dessen Verwirklichung man »paramythisch« (Beda Allemann) nennen kann. Danach enthalten die Rilkeschen Mythen eine unaufhebbare Spannung, die aus dem Bewusstsein ihrer Unmöglichkeit resultiert.

Entsprechend bleiben die eigentlichen mythischen Konkretionen, Engel dort und Orpheus hier, ganz auf den jeweiligen Gedichtzyklus beschränkt: In den *Elegien* fehlt der Gott Orpheus, in den *Sonetten* haben die Engel keinen Platz mehr (mit Ausnahme von II,17). Im Grunde müsste sich der Leser entscheiden, ob er für seine Person den Gehalt des Engel- oder des Orpheus-Mythos als Appell verstehen will, handelt es sich doch dort um die mythische Figur eines bewusstseins- und gefühlstranszendenten Gegenübers von kosmischem Maß, hier um die Gestaltwerdung irdischer Immanenz, um einen Gott der Nähe. Da Orpheus aber zugleich ein Transzendierender, ja der Transzendierende schlechthin ist, der »gehorcht, indem er überschreitet« (I,5), ist er geeignet, den Engel als Figur der Transzendenz zu ersetzen und dessen Unerreichbarkeit durch sein Transzendieren als einen weltimmanenten Daseinsvollzug abzulösen. Natürlich sind analoge Veränderungen auch schon in den im Februar 1922 zwischen den beiden Teilen der *Sonette* geschriebenen *Elegien* festzustellen, etwa in Sätzen wie »Erde, du liebe, ich will« (*Neunte Elegie*). Gemäß diesem Wandel veränderte sich die Sprachauffassung Rilkes: Lag dem ursprünglichen Entwurf der *Elegien* noch eine vom Dichter schmerzlich empfundene Differenz zwischen Sein und Sprache zugrunde, so lassen die *Sonette* eine solche Unterscheidung nicht mehr zu. Orpheus, das mythisch-poetische Apriori der Gedichte, ist Stifter und Unterpfand einer Ordnung, die sich im »Sagenkreis« von Singen und Hören erfüllt (I,20) – einer kommunikativen Ordnung, die Natur, Dinge und Mensch zu einer Welt zusammenschließt und in der sich das lyrische Ich der *Sonette* immer schon vorfindet und aus der heraus es spricht.

Zur Struktur und Sinnrichtung der *Sonette an Orpheus* als eines modernen poetischen Mythos fügt sich bruchlos die ihnen zugewiesene Funktion eines Totengedenkens. Was in der mittleren Schaffenszeit Rilkes die beiden *Requien* waren, das ist jetzt dieser Zyklus: Totenehrung in Ausübung des dichterischen Amtes. Diesmal gilt der Totendienst einem früh verstorbenen Mädchen: »Geschrieben als ein Grab-Mal für Wera Ouckama Knoop«. Die mit vollem Namen von Rilke auf dem Titelblatt genannte Person ist hier wichtig: Ihr hat das Werk als Ganzes ein Denkmal gesetzt:

»‹Die *Sonette*› haben sich (ich merkte es mehr und mehr während der Arbeit) leicht an die entschwundene Gestalt der jungen Wera Knoop angeschlossen, obgleich nur zwei Sonette – immer das vorletzte in beiden Teilen (also XXV und XXVIII) – wörtlich in diesen Bezug eintreten; viele umschweben ihn –, und so möchte der untere Titel verstattet, ja für ein fremderes Verstehenwollen oft hülfreich sein.« (An Anton Kippenberg, 23. 2. 1922)

Es gilt zu begreifen, wie ernsthaft der Dichter das Totengedenken mit seiner poetischen ›Arbeit am Mythos‹ verknüpft hat. Denn er ging ja von der konkreten Person der Verstorbenen nur aus, um sie als solche in die orphische Welt der Verwandlungen eingehen zu lassen. Bei dem *Requiem für eine Freundin* war das anders: Da blieb einerseits der Name der Paula Becker ungenannt, anderseits hielt das Gespräch des Dichters mit der Verstorbenen diese geradezu noch im Leben fest, um mit ihr über ihren ›falschen‹ Tod zu rechten. Die *Sonette* dagegen verwandeln Leben und Sterben des Mädchens Wera zur Gänze ins Mythische, lassen sie tot sein ›in Orpheus‹.

Die thematische Mitte

»Gesang ist Dasein« – dieser berühmte Satz aus dem dritten Sonett des ersten Teils bezieht sich auf den Gesang, wie ihn Orpheus »lehrt«. Ein schlichter, klarer und der zusätzlichen Auslegung kaum bedürftiger Satz, nimmt man ihn beim Wort – aber ein anscheinend höchst schwieriger Gedanke, greift man auf die recht angestrengt wirkenden Interpretationen zurück, die er erfahren hat. Zu wundern braucht uns das nicht, denn Rilke beantwortet hier die poetologische Frage nach dem, was Lyrik ist oder sein sollte, ontologisch – in Form einer Seinsaussage –, wodurch die philosophische Spekulation immer aufs neue herausgefordert wird. Die Frage ist nur, ob wir nicht in der Lage sind, einen Rilkeschen Text ohne ›Übersetzung‹ in philosophische Begrifflichkeit, d. h. so wörtlich wie möglich, aufzunehmen. Die Informationen, die das Sonett I,3 liefert, sind jedenfalls im Hinblick auf das, was mit »Gesang« und mit »Dasein« und der Gleichsetzung beider gemeint ist, erschöpfend: Aus innerem »Zwiespalt« kann eine solche Dichtung nicht hervorgehen, ebenso wenig wie sie aus der Haltung des Begehrens entspringt oder etwas mit dem ›Aufsingen‹ eines von Liebesleidenschaft ergriffenen Jünglings zu tun hat. Die negativen Bestimmungen erinnern an den Faust-Mythos als striktes Gegenbild, nämlich an die Ich-Spaltung in ›zwei Seelen‹ und den unersättlichen Faustischen Drang. Schon dies legt nahe, dass es bei Rilke sowohl um die Ermöglichung des Dichtens wie um einen auf den Menschen allgemein anwendbaren Lebensentwurf geht.

In dem zuletzt entstandenen Gedicht der *Sonette an Orpheus*, das Rilke dadurch auszeichnete, dass er es an den Anfang des zweiten Teils setzte, ist denn auch die vollkommene Analogie, ja Identität von Dichtung (gleich Gesang) und Dasein explizit ausgesagt: »Atmen, du unsichtbares Gedicht!« Der elementare Lebensvollzug des Atmens bedeutet einen ständigen Austausch von Welt und Ich und eine immer innigere wechselseitige Durchdringung beider. Dichten meint zwar nichts anderes, aber vielleicht wird an ihm dieses Grundgesetz des Daseins noch um einiges greifbarer als im Leben, d. h. in der Schrift und im Rhythmus der Sprache genauer ablesbar. Dichten wäre somit nur eine deutlichere Form des Daseins – eine, die Spuren hinterlässt.

Dem entspricht, dass die Seinsfrage – in vielen Einzelgedichten aus den Jahren 1906 bis 1910 emphatisch aufgeworfen und in den *Elegien* ins Zentrum gerückt – auch in den *Sonetten an Orpheus* vor allem um des Menschen willen gestellt wird: »Wann aber *sind* wir?« (I,3). Deshalb sollte man als Leser den Rilkeschen Orpheus-Mythos nicht nach einem ›Sein an sich‹ befragen, sondern nach den menschlichen Möglichkeiten ›zu sein‹, die darin enthalten sind. Rilke hat in dem Zyklus eine Reihe abstrakter Chiffren eingesetzt, welche die Richtung weisen. Zunächst ist auf das Wort ›Bezug‹ zu achten. Es signalisiert eine Grundstruktur des Daseins: das Bezogensein auf das Ganze der Welt, und das heißt auf Leben und Tod. Gewusster oder gefühlter Bezug bedeutet das Gegenteil von jeder Art Besitzverhältnis; vor ihm wird die Unterscheidung von Haben und Nichthaben hinfällig, denn Bezug meint ebenso die Relation zu den anwesenden wie den abwesenden Dingen (II,21). Der Gefahr, dass das Wort ›Bezug‹ eine mehr statisch-ontologische Vorstellung erweckt, hat Rilke nachdrücklich entgegengewirkt, zum Beispiel in dem Verspaar:

> Ohne unsern wahren Platz zu kennen,
> handeln wir aus wirklichem Bezug. (I,12)

Geht es schon im letzten Zitat um die Bedingungen menschlichen Handelns, nicht um eine metaphysische Wahrheit, so wird die praktische Orientierung vollends evident, wenn Rilke menschliches Dasein mit Hilfe einer weiteren Leitvorstellung als ›Vollzug‹ deutet bzw. fordert. Erst sofern zum gewussten Bezug das entschlossene Vollziehen des zeitverhafteten, der Vergänglichkeit ausgesetzten und auf den Tod zulaufenden Lebens hinzutritt, kommt bei Rilke die spezifische Daseinsmöglichkeit des Menschen in den Blick. Das so entworfene Bild potentiellen Daseins hat die Zeitlichkeit und darüber hinaus das »Nicht-Sein« ganz in sich aufgenommen:

> Sei – und wisse zugleich des Nicht-Seins Bedingung,
> den unendlichen Grund deiner innigen Schwingung,
> daß du sie völlig vollziehst dieses einzige Mal. (II,13)

Da der orphische Gesang bei Rilke gerade hierfür das Vorbild liefert, feiern die *Sonette an Orpheus* nicht ein ewiges Sein, sondern erschaffen einen Mythos der Zeitlichkeit: »O wie er ‹Orpheus› schwinden muß, daß ihrs begrifft!« (I,5).

Dem die Vergänglichkeit in freier Zustimmung bejahenden Vollzug des Daseins (»Sei allem Abschied voran«; II,13) entspricht als Haltung und Inhalt des Gesangs die ›Rühmung‹. Es ist offensichtlich, dass sich in ihr, die sich auch am »Staube«, dem »Moder« der »Grüfte« und vor allem an den Toten bewähren muss (I,7), das Dasein selbst exemplarisch vollzieht, und zwar in sprachlicher Form, als Dichtung. An anderer Stelle setzt der späte Rilke einmal Dichten und Tun ausdrücklich gleich.

Denken und Dichten im Zusammenspiel

Auf die Frage »Wann aber *sind* wir?« antwortet der Zyklus der *Sonette an Orpheus* im allerletzten Vers mit einem »Ich bin«, freilich nicht als Behauptung eines endlich erreichten Zustandes, sondern um den Zielpunkt des Werkes als utopisch zu markieren:

Und wenn dich das Irdische vergaß,
zu der stillen Erde sag: Ich rinne.
Zu dem raschen Wasser sprich: Ich bin. (II,29)

Das ist das Sprachbild einer spezifisch modernen Komplementarität. Die wie orphische Lehrsätze anmutenden Verse, die auf die Möglichkeit einer Entfremdung vom »Irdischen« bezogen sind, nennen einige wesentliche Bedingungen des »Ich bin«. Dazu gehört ein Gegensatz, der hier in die Opposition »stille Erde« : »rasches Wasser« gefasst ist, und es wird vorausgesetzt, dass die beiden elementaren Seinsweisen des still Beharrenden und des rasch sich Wandelnden bei aller Gegensätzlichkeit einander als Ergänzung bedürfen. Das Gedicht fügt sie aber nicht unmittelbar als komplementäre Hälften zur abstrakten Figur eines höheren Ganzen zusammen, sondern es nimmt den Gegensatz zum Anlass, um vom angesprochenen Du zu fordern, sich seinerseits komplementär zu der ihm in stets anderer Gestalt begegnenden Wirklichkeit zu verhalten, also in jedem Moment zum immer einseitigen, bedürftigen Teil des Ganzen das ihn ergänzende Gegenteil zu sein und sich selbst somit ständig umzuschaffen: »Geh in der Verwandlung aus und ein« (ebd.). Die Bedingung eines solchen Verhaltens liegt darin, dass das Irdische mit dem Gegensatz von Wasser und Erde seine genaue Entsprechung im Menschlichen findet, dass das Ich sowohl von sich sagen kann »Ich rinne« als auch »Ich bin«, mögen für das herkömmliche metaphysische Denken Vergehen und Dauer, Zeit und Sein auch einander ausschließende Gegensätze bilden.

›Verwandlung‹, das existentielle und poetologische Kernmotiv des Rilkeschen Werks und speziell der *Sonette an*

Orpheus, vermittelt also auf paradoxe Weise zwischen Zeit und Sein, d. h. nicht so, dass Vergängliches ins Außer- oder gar Überzeitliche gerettet würde, sondern dass in der Zeitlichkeit selbst in Erscheinung tritt, was der Mensch ›ist‹ oder ›sein‹ soll, und dass sich scheinbar zeitloses Sein um die temporale Dimension ergänzt und erweitert.

Wenn die letzten beiden Verse des gesamten Zyklus in diesem Zusammenhang das Sagen und Sprechen so stark betonen, so mag das darauf aufmerksam machen, dass vor allem die Sprache als Ort der Verwandlung fungiert. Gewiss meinen die Verse nicht bloß die dichterische Sprache, aber dennoch werden in ihnen die genuin poetischen Fähigkeiten zur Transformation ins hellste Licht gerückt, wobei sich der sprachliche Umwandlungsprozess als außerordentlich konkret, ja materiell erweist: Wie schon im vorletzten Terzett desselben Sonetts die »Sinne« quasi sprachmagisch in den »Sinn« überführt wurden, so wandelt sich im letzten das Wort »rinne«, das in seiner Zweisilbigkeit und Klanggestalt das unaufhaltsam Vergängliche des Ich abbildet, unter Beibehaltung der beiden tragenden Laute in ein einsilbig definitives »bin«. Was hier vom Gedicht als Transformation vollzogen wird, müsste in Gestalt eines logischen Satzes nach dem berühmten Cartesianischen Muster lauten: Ich rinne, also bin ich.

Nur ist mit einer solchen Verwandlung gewiss kein verkappter logischer Schluss gemeint, sondern etwas, das wir mit Rilke und im Kontext moderner Poetik als sprachliche Figuration begreifen sollten – in unserm Fall als eine Figuration, die Gegensätzliches zusammenbringt und ineinander übergehen lässt. In diesem Sinn werden die Verse, Strophen und Gedichte des Orpheus-Zyklus immer wieder zu

›Figuren‹, in denen das, was der Mensch für gewöhnlich kategorial geschieden denkt oder ontologisch getrennt erfährt, als aufeinander bezogen erscheint: »Heil dem Geist, der uns verbinden mag;| denn wir leben wahrhaft in Figuren« (I,12).

Schicksal und Technik als Widerstand

Wenngleich der orphische Gesang in den *Sonetten* jede Grenze, insbesondere die des Todes, zu »überschreiten« beansprucht (I,5) und noch die schmerzlichsten Erfahrungen des Menschen in die ›Rühmung‹ einbeziehen möchte, gehen doch bestimmte Bereiche des Lebens und der modernen Welt nicht in das Eine und Ganze des Orpheus-Mythos ein. Sie wirken sich als feindlicher Widerstand aus oder verfallen der Kritik.

Als stärkster Gegenspieler der orphischen Existenzform gilt den *Sonetten* das ›Schicksal‹ im Sinn einer von außen eingreifenden Begrenzung und Festlegung der Daseinsmöglichkeiten. Zur entschiedenen ›Rühmung‹ kommt es hier nirgends; vielmehr versucht das Ich der *Sonette*, sich dem Schicksal gegenüber zu behaupten, indem es ihm mit rhetorischem Aufwand widerspricht (II,27) oder dessen Machtlosigkeit erweisen möchte: »O trotz Schicksal: die herrlichen Überflüsse| unseres Daseins ‹...›« (II,22). Der blinde Bettler im Sonett II,19 vollzieht zwar auf exemplarische Weise sein Dasein, zu dem ihn »das Schicksal« täglich neu bestimmt, aber auch hier wird nicht dieses Schicksal, sondern die menschliche Haltung des Nichthabens gerühmt.

Weit differenzierter verhalten sich die *Sonette* zu den

technischen Errungenschaften unserer Zivilisation: Es gibt keinen Maschinensturm, keine pauschale Verdammung, wie man sie vielleicht im Zusammenhang des Mythos von Orpheus als einem der »ältesten Väter« der Menschheit erwarten würde, sondern nur die entschiedene Aufforderung, den Herrschaftsanspruch der Technik zurückzuweisen (I,18; II,10) und den naiven Fortschrittsglauben zu überwinden (I,22). Neben der Klage über die durch die Maschine bewirkte Entfremdung (I,24) steht aber auch der Ausblick auf eine künftige Möglichkeit von deren Aufhebung, und zwar durch die Gewinnung eines »reinen Wohin«, einer Richtungsbestimmung für die immer kühneren, vorerst noch ziellosen »Flugversuche« (I,22 und 23).

Das Fazit aller technischen Anstrengungen der Neuzeit zieht im Geist des Rilkeschen Orpheus-Mythos das Sonett II,22:

Aber das Rasen zergeht und läßt keine Spuren.
Kurven des Flugs durch die Luft und die, die sie fuhren,
keine vielleicht ist umsonst. Doch nur wie gedacht.

Das ist um eine Spur positiver formuliert als die entsprechende kulturkritische Passage in der *Siebenten Elegie*. Was »vielleicht« nicht umsonst geschah, mag sein geschichtliches Recht haben; beklagenswert bleibt jedoch, dass aus den großen Entwürfen des konstruierenden Verstandes keine die Zeit überdauernden Schöpfungen hervorgehen, wie sie das Merkmal der früheren Kulturepochen waren.

Ulrich Fülleborn

Alphabetisches Verzeichnis
der ›Sonette an Orpheus‹

Inhalt

Duineser Elegien

Die Sonette an Orpheus

Rainer Maria Rilke

In gleicher Ausstattung liegen vor:

Das Stunden-Buch

Mit einem Nachwort von Manfred Engel
it 2685 · 160 Seiten

Das Buch der Bilder

Mit einem Nachwort von Manfred Engel
it 2686 · 144 Seiten

Neue Gedichte · Der Neuen Gedichte anderer Teil

Mit einem Nachwort von Ulrich Fülleborn
it 2687 · 208 Seiten

Duineser Elegien · Die Sonette an Orpheus

Mit Nachworten von Manfred Engel und Ulrich Fülleborn
it 2688 · 192 Seiten

Mir zur Feier

Gedichte · Mit einem Nachwort von Manfred Engel
it 2689. 160 Seiten

Die Weise von Liebe und Tod des Cornets Christoph Rilke · Die weiße Fürstin

Mit einem Nachwort von Manfred Engel
it 2690 · 128 Seiten

Die Aufzeichnungen des Malte Laurids Brigge

Mit einem Nachwort von August Stahl
it 2691 · 288 Seiten

Einsam in der Fremde

Erzählungen · Mit einem Nachwort von August Stahl
it 2692 · 128 Seiten

Die Ausgaben basieren auf der Ausgabe:

Werke · Kommentierte Ausgabe in vier Bänden

Herausgegeben von Manfred Engel,
Ulrich Fülleborn, Horst Nalewski und August Stahl
Insel Verlag 1996

Band 1 · *Gedichte 1895 bis 1910*

Herausgegeben von Manfred Engel und Ulrich Fülleborn
1036 Seiten

Band 2 · *Gedichte 1910 bis 1926*

Herausgegeben von Manfred Engel und Ulrich Fülleborn
972 Seiten

Band 3 · *Prosa und Dramen*

Herausgegeben von August Stahl · 1088 Seiten

Band 4 · *Schriften*

Herausgegeben von Horst Nalewski · 1104 Seiten

ISBN 3-458-34388-1
9 783458 343882
DM 20.00
ab 01.01.2002
¤ 10.00